Pedro María de Usandizaga y Mendoza

EL CHINGOLES

PEDRO MARIA DE UZANDIZAGA Y MENDOZA

l Chingolés

PRIMER DICCIONARIO DEL
LENGUAJE POPULAR MEXICANO

B. COSTA-AMIC, EDITOR

MÉXICO, D. F.

IMPRESO EN MÉXICO / *PRINTED IN MEXICO*
TALLERES DE B. COSTA-AMIC, EDITOR / MESONES, 14
MÉXICO (1), D. F.

INTRODUCCIÓN

TODOS LOS PUEBLOS que étnicamente constituyen una nación, tienen su lenguaje propio con características peculiares, distinguiéndose unas de otras por su léxico y su lógica desenvolviéndose así en el concierto de sus relaciones con los diversos países del mundo.

En algunas, su idioma es madre de otras y las hay también que han surgido como una planta silvestre, de semilla que trajeron los aires, desarrollándose libremente, interpretando con enjundia las más vivas expresiones, como "El Chingolés", que llega al alma en el hablar de las gentes.

El Castellano, cuenta con 16,000 palabras, recogidas del ibero, del fenicio, del cartaginés, del latín, del griego, del vasco, del teutón, del árabe, del catalán y del francés y con todo lo llaman lengua madre, porque de ella han derivado varios dialectos, pero "El Chingolés" germinó como el maíz azteca, toda vez que se autofecundó determinando por sí sólo sin necesidad de imponer reglas, para asimismo pronunciar las frases con profundo sentido. "El Chingolés" es en verdad algo extraordinario, porque con una sola palabra y sólo variantes en las terminaciones y modulación en las expresiones, se dice todo lo que se quiere decir y lo que se quiere dar a entender, en todo lo habido y por haber, ya que lo mismo es verbo que sustantivo, como adjetivo calificativo, en ocasiones de mucha sustancia, pues lo mismo halaga que insulta, según se aplique y corresponda a la analogía del caso.

Este lenguaje singular, es profundamente nacionalista e intensamente revolucionario ya que surgió entre la gente de clase proletaria; y como consecuencia de las luchas reivindicadoras en los campos de la revolución, los "d'arriba" se fueron "p'abajo" y los "d'abajo" se fueron "p'arriba" por lo que en la actualidad, los grandes capitanes de la industria, del comercio, de la política y de la banca, en muchas ocasiones lo emplean, sobre todo, en aquellas situaciones agudas o de gran preocupación, porque es más determinante y preciso en las expresiones.

No han de faltar algunos que al tener en sus manos este Primer Diccionario del Lenguaje Popular Mexicano, de esos que "se espantan de la mortaja y se abrazan del mero difunto" lo consideren algo muy vulgar, pero no es así, toda vez que es un estudio filológico y lexicológico y por lo tanto, algo muy importante que merece respeto y consideración de los estudiosos de la idiosincrasia de un pueblo, que se relaciona con la antropología, ya que la riqueza del vocablo es expresión viva y natural de una unidad étnica a la vez que rica en todos sentidos.

Para el formato de este Diccionario, se recorrieron los Estados de Oaxaca, Puebla, Veracruz, Tlaxcala, México, Distrito Federal, Querétaro, Guanajuato, Jalisco, Michoacán y Guerrero, recogiendo expresiones y reconociendo diferencias aunque no esenciales.

En México, la palabra "chingado" se aplica en todas formas y entra en todas las frases, teniendo en cada una de ellas y —aun repitiéndola varias veces— distinto significado, como lo veremos en esta obra. Es como en la comida: se le pone chile al caldo, a la sopa, a los frijoles, a los huevos fritos, a la jícama y hasta al mole cuando está muy dulzón; a todo se le añade el chile y el "chingado" entra en todas las conversaciones sea cual fuere, así se trate de un difunto.

La palabra "chingado" es de raíz germana y tomó carta de naturalización en la antigua Anáhuac en tiempos de la Colonia introduciéndose por Acapulco, pues nos informan los académicos, que en los territorios limítrofes de Chile y Perú la palabra "chingar" se interpreta como "ir a tomar la copa de vino a una cantina o fandango", interpretación que no la tiene en México, aunque al aguardiente sí se le llama "chínguere"; relacionándose por lo tanto su origen, más bien su nexo con el vino.

A la feria de Acapulco, acudían gente de Sur América y de lo que hoy son Estados de Chiapas, Oaxaca, Puebla, Tlaxcala, Hidalgo, México, Distrito Federal, Querétaro, Guanajuato, Jalisco, Michoacán y Zacatecas y en las cantinas que se abrían, la clientela se mezclaba; cruzándose palabras de unos y otros países, y así la palabra "Chingar" tomó carta de naturalización en la Nueva España y se esparció por todas partes, tomando diversos significados a través de los tiempos y circunstancias. Es muy fácil, que para decir que un vino sí mareaba sólo con unas copas, se haya dicho "este vino sí chinga bonito" entendiéndose por consecuencia, que sí dañaba o afectaba; así se extendió la aplicación de la palabra "chingar" a toda clase de males y también como comentario de su calidad, y así las demás derivaciones en cuanto a su aplicación.

Hubiera sido necesario un tomo monumental para poder insertar las aplicaciones que tiene esta palabra en las conversaciones, con todos los sinónimos que se emplean en diversos motivos y ocasiones, pero en este Diccionario Preliminar, nos hemos limitado a lo más usual, pero de todos modos, resulta una obra singular y por lo consiguiente única en el mundo entero.

EL AUTOR

ABAJO EN CASA DE LA CHINGADA
Punto situado en lo profundo de una barranca.

ABAJO HASTA LA CHINGADA
Algo que se encuentra debajo de todo lo colocado
encima.

ABANDERADO POR CHINGÓN
Distinción que se hace en un colegio, sindicato,
etc., etc., al que tiene mayores méritos.

ABANDONADO POR CHINGADERAS
Terreno, casa o cualquier otro objeto que por causa
de pleitos, se ha abandonado.

ABARCA HASTA EN CASA DE LA CHINGADA
Vista que ofrece una altura que alcanza un amplio
panorama.

ABARROTADO HASTA LA CHINGADA
Un camión de pasajeros que va lleno de gente.
De gente: un lugar público, lleno de bote en bote.
Un almacén lleno de mercancías hasta el tope.
De trabajo: una persona, a la que no le alcanza el
tiempo.

ABASTECE COMO LA CHINGADA
Comerciante que cubre la demanda de un pueblo en
los principales artículos de consumo.
Toma de agua que cubre las necesidades de un lugar.

Gasolinería que cubre la demanda ampliamente.
Carnicería que cubre el consumo de un perímetro.

ABATIDO HASTA LA CHINGADA
Persona totalmente sumida en la tristeza.

ABOGADO CHINGÓN
Se aplica para decir:
De un abogado muy abusivo con los clientes.
De un abogado muy listo y capaz.

ABORTÓ CON UNA CHINGADERA
Medicina que es aplicada para el aborto.

ABORRECIDO HASTA LA CHINGADA
Persona que no es bien vista en ningún lugar.

ABOTONADO COMO LA CHINGADA
Persona que lleva su saco con muchos botones.

ABOTONADO HASTA LA CHINGADA
Persona que lleva su traje abotonado hasta arriba.

ABRAN COMO UNA CHINGADA
Persona que ha llamado en su casa o en casa de amigos o amigas y tardan en abrir la puerta.

ABRAN O SE LOS LLEVA LA CHINGADA
Términos que usan los policías cuando llevan orden de entrar en una casa.

ABULTADO COMO LA CHINGADA
Término que es usual en los pueblos al dar a conocer una noticia en forma exagerada.

ABURRIDO COMO LA CHINGADA
Persona a quien nada le distrae.

ACABASTE A LA CHINGADERA
Trabajo terminado de mala manera.

ACABARÁS DADO A LA CHINGADA

Indicación que se hace a una persona cuando se le advierte la fatiga que le está causando.

ACABARÁS DE LA CHINGADA

Consejo que se da cuando se notan los enredos en que anda alguien.

ACABÉ DADO A LA CHINGADA

Persona que ha terminado rendida debido a un trabajo pesado.

ACABÓ DADO A LA CHINGADA

—Persona que después de trabajar toda su vida terminó su existencia en la miseria.

—Persona que después de haber gozado de la vida acabó viviendo de favor.

—Persona que habiendo disfrutado de bienes acabó en la miseria.

ACELERADO COMO LA CHINGADA

Vehículo que anda demasiado aprisa. Igualmente una máquina cualquiera.

Trabajo que exige moverse rápidamente.

ACERA "JIJA" DE LA CHINGADA

Expresión común cuando una acera o banqueta está llena de agujeros o destrozada, que causa molestias al caminar por ella.

ACOMODADO COMO LA CHINGADA

Persona que goza de muchos bienes.

ACOMODARSE CHINGONAMENTE

Tiene diversas aplicaciones. Ejemplos:

—Persona que sabe incrustarse en buenas "chambas" en todos los regímenes políticos, nacionales, estatales o municipales.

—Colocarse en un lugar prominente en un banquete, reunión, etc.

—Sentarse en algún sillón en forma placentera.

ACOSTUMBRADO A CHINGAR A MEDIO MUNDO

Persona que se dedica a vivir pidiendo prestado en todas partes.

También, se aplica cuando una persona se dedica a estar causando perjuicios a unos y otros en beneficio propio.

ACTITUD CHINGONA

El hecho de tener aspecto de grandeza en forma solemne. También se dice, cuando una autoridad asume con dignidad su responsabilidad en casos de calamidades públicas, desastres, terremotos, etc. Igualmente se aplica en los casos en que una persona asume o actúa en forma deleznable, en forma poco honorable. Todo depende de la tonalidad de la frase para interpretarse en una forma u otra.

ACTO CHINGÓN

Celebración civil o religiosa llevada a cabo con solemnidad.

ACTOR CHINGÓN

Así se llama a "una luminaria" en el cine, teatro, etc.

ACUCHILLADO HASTA LA CHINGADA

Persona asesinada con más de veinte puñaladas.

ACHINGATAR

Ejercer presión sobre una persona para lograr de ella algún propósito contra su voluntad.

ACHINGATARSE

Dejarse dominar totalmente por otra persona.

A CHINGARSE BONITO

Indicación de una persona a otra o varias para que trabajen con intensidad o esmero.

ACHINGATADO

Persona que está dominada por otra.

A CHINGAR AL QUE SE DEJE

Indicación a una o varias personas para que roben
o dañen.

ADEFESIO DE LA CHINGADA

Algo que es muy feo; puede referirse a una casa,
a un palacio, a un monumento, a un vestido, a una
persona, etc.

ADELGAZADO COMO LA CHINGADA

Persona que está hecha un esqueleto, delgada en lo
sumo.

ADELANTADO COMO LA CHINGADA

Persona que se anticipa a participar en algún acto,
reunión, etc.
También se dice cuando una persona toma las cosas
sin pensarlo mucho.
Igualmente, cuando una persona dice algo en una
reunión con fines personales.
Persona que se ofrece a hacerse cargo de algo que
le puede dar algún beneficio, distinción, etc., etc.

ADEREZADO COMO LA CHINGADA

Un pastel muy adornado.
Una persona que va muy arreglada en todo, en su
vestir, peinada, etc., etc.

ADEUDADO HASTA LA CHINGADA

Persona que debe a todo el mundo, que está en
quiebra.

¿A DÓNDE CHINGADOS FUISTE?

Pregunta que se hace cuando vemos que una persona
regresa de un viaje.

¿A DÓNDE CHINGADOS NOS VAMOS?

Pregunta que se hace cuando dos o más personas se

reúnen para acudir a algún lugar y no tienen decidido a dónde.

¿A DÓNDE CHINGADOS NOS METEMOS?

Frase que se acostumbra decir cuando llueve.

También se dice cuando en una feria hay muchos
lugares dónde entretenerse.

Igualmente, cuando existen muchas casas donde pasar
el tiempo.

¿A DÓNDE CHINGADOS VAN A LLEVAR ESA CHINGADERA?

Pregunta que se hace cuando ven llevar algo.

¿A DÓNDE CHINGADOS VAS?

Pregunta cuando se ve que una persona va de viaje.

¿A DÓNDE VAN CON ESA CHINGADERA?

Pregunta semejante a la anterior.

ADULTERADO HASTA LA CHINGADA

Algo como una bebida que es todo menos que lo
que se dice que es, bien por el agua u otras sustan-
cias que alteran su pureza.

Puede ser también cualquier otra cosa, tal como el
café, chocolate, leche, el vino, etc., etc.

AFABLE COMO LA CHINGADA

Persona que es muy amable con todo el mundo, en
su trato, acciones, etc., etc.

AFERRADO COMO LA CHINGADA

Persona apegada a su trabajo en todos sentidos.

AGARRADO COMO LA CHINGADA

Persona tacaña que no compra plátanos por no
tirar la tecata (corteza).

AGRADABLE COMO LA CHINGADA

Persona de fino trato con las gentes.

AGRADECIDO COMO LA CHINGADA

Persona que aprecia profundamente los favores recibidos.

AGRIO COMO LA CHINGADA

Bebida muy agria.

AGUA A LO "JIJO" DE LA CHINGADA

Lugar donde disfrutan de agua en abundancia. También cuando se comenta que llueve mucho.

AGUADA O AGUADO COMO LA CHINGADA

Líquido que tiene más agua que substancia. Ejemplos: Un café, un chocolate, la leche, el caldo, etc., etc.

ÁGUILA COMO LA CHINGADA

Persona inteligente, que sabe de todas todas, perspicaz, que prevé las cosas o sus consecuencias.

¡AH, CHINGADO!

Expresión muy generalizada y por lo tanto con muchas aplicaciones. Ejemplos:

—Cuando nos damos cuenta de que alguien nos está robando.

—Cuando nos damos cuenta de un peligro.

—Cuando estando mucho tiempo tratando de resolver un problema hallamos la forma de resolverlo.

—Cuando un operario no puede ajustar una pieza y tras de buscarle lo logra.

—Cuando alguien nos escondió una cosa y damos con ella sin pensarlo.

—Cuando descubrimos una maquinación en contra nuestra o de un amigo íntimo.

—Cuando nos damos cuenta de que "hemos metido la pata" o hemos hecho un disparate.

—Cuando nos damos cuenta de que hemos perdido algo y lo necesitamos.

—Cuando vamos a comprar algo y está a mayor precio.

—Cuando creemos tener dinero para pagar y no nos alcanza.

—Cuando nos disponemos a salir de la casa y amenaza tormenta.

—Cuando nos damos cuenta de que ha pasado la hora de entrar al trabajo y vamos a llegar tarde.

—Cuando vamos al cine y ya lleva rato la película exhibiéndose.

—Cuando no alcanzamos el camión.

—Cuando estamos desesperados por una persona que no llega.

—Cuando vamos a una oficina en busca del titular y nos dicen que ya salió y tardará en volver.

—Cuando vamos a comprar alguna cosa urgente y no la hay.

—Cuando nos sorprende el frío.

—Cuando nos encontramos a una persona en un lugar y no queremos que nos vea y menos que nos hable.

—Cuando advertimos que una persona está tomando providencias para perjudicarnos.

—Cuando vamos a hacer cualquier diablura y notamos que nos están mirando.

—Cuando vemos que se está acercando el cobrador.

—Cuando vemos a una muchacha vecina que va bien acompañada.

—Cuando sin darnos cuenta el cigarro está quemando el mantel de la mesa.

—Cuando escuchamos la sirena de alarma.

—Cuando vemos a una persona acompañando a otra cuando sabemos que son enemigos.

—Cuando nos damos cuenta de que alguien no es lo que aparenta.

—Cuando el chile que mordemos pica más de la
cuenta.

—Cuando alguien ha hecho alguna cosa de la que
que no la creímos capaz.

—Cuando nos informan que a un enemigo nuestro
lo han distinguido con un cargo oficial.

—Cuando algo que queremos levantar pesa más de
lo que suponíamos.

—Cuando advertimos que viene la policía y andamos
en no muy santos caminos.

—Cuando creyendo que un funcionario es amigo
nuestro, nos resulta muy exigente en sus funciones.

—Cuando vemos que una persona a la que creíamos
sin recursos se nos presenta con un carro nuevo.

AHÍ ESTÁ ESE "JIJO" DE LA CHINGADA

Es muy acostumbrado decir al referirse a una persona
que no es de nuestra amistad, más bien enemigo
nuestro, como vemos en los ejemplos siguientes:

—Un comerciante cuando está observando a otro
que le hace competencia cerrada.

—Un político cuando advierte la presencia en un
lugar a persona que no le es grata.

—Cuando una persona se da cuenta que no anda
lejos aquél que le está perjudicando.

—Cuando un joven se da cuenta de que su rival en
amores anda en la fiesta.

—Cuando una persona ve a lo lejos al que le hizo
una "chicana".

—Cuando una persona dice a otra que llegó su
enemigo político.

—Cuando una persona dice a otra que llegó el que
lo está engañando.

—Cuando una persona dice a otra que llegó el que
le está cobrando una deuda indebidamente.

—Cuando una persona dice a otra que lo espera un
agente de seguros, o de otra índole.

—Cuando una persona dice a otra que lo está esperando otra a la que no puede "ver ni pintado".

—Cuando una persona dice a otra que lo quiere ver
el Agente de Tránsito.

—Cuando una persona dice a otra que lo quiere ver
el que le vendió el carro diciéndole que estaba
en buenas condiciones.

—Cuando una persona dice a otra que lo quiere ver
el causante de una pérdida.

—Cuando una persona dice a otra que lo quiere ver
el que lo comprometió en la política.

—Cuando una persona dice a otra que lo quiere ver
el causante de su desgracia.

—Cuando una persona dice a otra que lo quiere ver
el que le vendió los bueyes robados.

—Cuando una persona dice a otra que lo quiere ver
el que lo demandó ante la justicia.

—Cuando una persona dice a otra que lo quiere ver
el pretendiente de su hija.

AHÍ ESTÁ LA CHINGADERA

Se dice al señalar la causa de un mal; al comentar
sobre la incógnita de un asunto; sobre la médula

AHIJADO CHINGÓN

El ahijado que sabe sacar ventajas de su padrino o
también es listo y aplicado en sus clases.

AHIJADO "JIJO" DE LA CHINGADA

El que no respeta a su padrino.

AHIJADOS A LO "JIJO" DE LA CHINGADA

Persona que tiene muchos ahijados donde quiera.

¡AH, LA CHINGADA!

Exclamación. Veamos diversos casos:

—Al contemplar los daños causados por un terremoto.

—Al contemplar los daños causados por un ciclón.

—Al leer las proezas de los astronautas en su viaje a la luna.

—Al contemplar un incendio de magnitud.

—Al comentar el pago que se debe hacer a causa de un choque.

—Al comentar que el dueño de la casa sube y sube la renta.

—Al comentar el fuerte pago de contribuciones.

—Al contemplar los daños que está causando una plaga.

—Al contemplar los daños que está causando una sequía.

—Al contemplar lo inmenso del mar.

—Al ver la familia de un amigo que al morir la deja en la miseria.

—Un comerciante al advertir que sus ventas bajan y no puede cumplir sus compromisos.

—Al comentar los estragos de la guerra.

—Al admirar la velocidad de un avión moderno.

—Al admirar un gran edificio.

—Al admirar una máquina complicada.

—Al ver la velocidad que alcanza un coche.

—Al contemplar un trasatlántico moderno.

—Al enterarse de lo que cobra un médico por hacer una operación.

—Al darse cuenta de que están subiendo los precios de lo que tiene que comprar, etc., etc. del problema.

AHORA NOS LLEVÓ LA CHINGADA

Comentario entre dos o más personas. Ejemplos:

—Campesinos, cuando no tienen buena cosecha.

—Entre un grupo de trabajadores, cuando les dicen que ya no hay trabajo.

—Entre los de un equipo, cuando pierden el campeonato.

—Cuando han apostado en favor de quien ha perdido.

—Cuando cambian a un funcionario amigo.

—Al romperse alguna cosa útil y no hay manera de suplirla.

—Al perderse toda esperanza de arreglo en pleitos de una empresa de la cual se vive.

—Al quedarnos en la carretera y no podemos arreglar el carro y el motor sigue fallando.

—Cuando ha pasado el último tren, camión, etc., y no tenemos dinero suficiente para gastos.

—Cuando se nos viene encima un aguacero y no tenemos dónde meternos.

—Cuando tenemos hambre, buscamos algo qué comer y no encontramos nada.

—Cuando no tenemos un centavo y ni manera de lograrlo.

—Cuando ha muerto quien nos protegía.

—Cuando ha caído en desgracia quien nos protegía.

—Cuando en el camino se nos hace noche o no podemos seguir adelante.

—Cuando nos hemos metido en un compromiso y no hallamos manera de "zafarnos".

—Cuando nos damos cuenta que han descubierto nuestra incompetencia.

—Cuando nos descubren en una maniobra sucia.

—Cuando nos aumentan las contribuciones sin más.

—Cuando en el mercado aparece un artículo que sustituye el que nosotros fabricamos.

—Cuando la competencia nos está arruinando.

—Cuando nuestro trabajo manual lo hacen con máquina.

—Cuando alguien nos promete ayudar y se arrepiente.

—Cuando hemos perdido un pleito en el juzgado.

—Cuando un temblor dañó mucho nuestra casa.

—Cuando hemos perdido la llave de la casa y no podemos entrar.

—Cuando vamos a comprar alguna cosa de urgencia y no nos alcanza el dinero.

—Cuando creemos contar con algún apoyo y nos lo niegan.

Ya no hay más letras en el abecedario y por lo tanto aquí la cortamos

AHORA SÍ ESTÁ LA COSA DE LA CHINGADA

Frase que se aplica cuando se ha llegado a límites que no es posible alcanzar. Ejemplos:

—Cuando el hambre azota a una población aislada por alguna causa y no hay manera de hacer que lleguen comestibles.

—Cuando nos sujetan a una rígida disciplina.

—Cuando la crisis económica ha llegado a su apogeo.

—Cuando se contemplan los estragos por un ciclón.

—Cuando no sabemos qué partido tomar en cualquier situación.

—Cuando nos afecta seriamente una disposición oficial.

—Cuando la cuestión política está candente.

—Cuando hay disgustos serios en familia.

—Cuando hay desavenencias entre los socios de una empresa.

—Cuando sabemos que nuestro candidato no va a ser electo al fin.

—Cuando el gobierno dispone que los precios los va a fijar a niveles equitativos.

Y así sucesivamente en otros muchos casos.

AHORA SÍ NOS VA A LLEVAR LA CHINGADA

Se acostumbra decir cuando se ha perdido toda esperanza en aquello que es importante en nuestra vida o tenemos riesgo de perder lo que tenemos.

—Cuando vemos que viene un temporal fuerte y no es conveniente que llueva.

—Cuando notamos que empieza a fallar el coche o camión donde vamos.

—Cuando observamos que el camión donde vamos va muy despacio y no vamos a llegar con tiempo al asunto que nos lleva.

—Cuando vemos que el camión va a velocidad excesiva y nos entra el miedo.

—Cuando apreciamos que nuestros esfuerzos son inútiles.

—Al apreciar que vamos a la quiebra.

—Cuando apreciamos que nuestros ingresos no nos alcanzan para vivir.

—Cuando una inundación arrasó nuestras siembras.

—Cuando vemos que el temblor hizo nuestra casa inhabitable, etc.

AHORA SÍ LO ESTÁN CHINGANDO

Se aplica para dar a entender que están perjudicando a determinada persona.

AHORA SÍ LO ESTÁS CHINGANDO

Tiene diversas aplicaciones, vr. gr.:

—Cuando se refiere a un muchacho que está al cuidado de una persona y otra le dice que le está causando daños.

—Al referirse a un auto, herramienta u otro objeto cualquiera que esté resintiéndose por una incorrecta aplicación o trato.

—Al tratarse de un hijo a quien se le está haciendo trabajar en vez de que ande de flojo.

AHORA SÍ LOS ESTÁN CHINGANDO

Se acostumbra decir cuando a determinado grupo de mala vida los están corrigiendo las autoridades, aplicando castigos físicos.

—También se aplica cuando los inspectores de Hacienda están tratando de regularizar a los comerciantes en el pago de impuestos.

—Cuando la autoridad aplica multas por delitos que cometen los comerciantes en cuanto a precios.

—A los faltistas al trabajo al aplicarles correctivos.

—Las autoridades cuando los vecinos no cumplen el Bando de buen Gobierno.

—Los agentes de tránsito a los choferes que no respetan las señales.

AHORA SÍ LO VOY A RECHINGAR

Decisión tomada en contra de una persona al colmarle la paciencia, cuando ésta ha estado perjudicándole en una forma u otra.

AHORA SÍ LO VOY A CHINGAR

Esta frase es sinónima de la anterior pero en forma más suave. Ejemplos:

—Cuando un político causó molestias en una forma u otra a una persona y cuando ha caído trata de vengarse.

—Cuando un deudor es moroso y no hace caso de los cobros y se decide a proceder judicialmente.

—Cuando una persona está causando perjuicios a un vecino y éste prudentemente ha soportado mucho tiempo y al fin se decide a enfrentársele judicialmente.

—Cuando una persona ha estado portándose mal con su jefe y éste decide quitarle la chamba.

—Cuando alguien ha estado robando a sabiendas de los perjudicados y uno de ellos lo va a acusar.

—Cuando alguien se decide a matar a una persona.

—Cuando alguien se decide a perjudicar a como dé lugar a otra persona.

—Cuando un comerciante se decide acabar con otro en fuerte competencia.

—Cuando alguien asume un puesto importante en el gobierno y tiene mala voluntad con una persona.

—Cuando en un regadío otro no le pasa el agua al que sigue.

—Cuando una persona ha perdido su palanca fuerte y otra resentida va a proceder a como dé lugar.

AHORA SÍ LO RECHINGUÉ

Es frase muy común para decir:

—In mente cuando en el juego lleva buena jugada.

—Al advertir el daño que ha hecho una persona a otra.

—Un político cuando le ha cortado alas a otro.

—En una pelea cuando alguien ha dominado a otro.

—En el campo cuando ha matado a un animal dañino.

—Cuando una persona vende a otra un producto a buen precio.

—Cuando una persona causa a otra un daño irreparable.

—Cuando una persona engaña a otra en un trato cualquiera.

—Cuando una persona comenta con otra que ha echado a perder una máquina cualquiera.

—Cuando una persona vende a otra algo que no sirve.

—Cuando alguien engaña a otro "como a un chino".

AHORA SÍ ME CHINGAN...

Se dice cuando se reconoce que se está recibiendo un daño. Ejemplos:

—Cuando los zapatos lo aprietan demasiado.

—Cuando en el juzgado están presentando pruebas
irrefutables.

—Cuando en el trabajo el jefe lo hace trabajar.

—Cuando ya no tiene una persona apoyo de nadie.

—Cuando una persona está siendo molestada por
cualquier causa.

—Cuando se descubre un delito cometido.

—Cuando un político se entera de que uno "de muy
arriba" va a apoyar a su enemigo, etc., etc.

AHORA SÍ ME CHINGUÉ

Es un decir muy común. Valgan estos ejemplos:

—Cuando se pierde un empleo.

—Cuando nos vemos obligados a hacer un trabajo
que no nos correspondía y nos encargan hacerlo.

—Cuando hacemos algo que nos resulta perjudicial.

—Cuando nos damos cuenta que nos han dado un
billete falso.

—Cuando la máquina u otra cosa no responde y el
trabajo nos urge hacerlo.

—Cuando esperamos la ayuda de una persona y
nos manda decir que no puede venir.

—Cuando en una fiesta está alguien que nos hace
estorbo.

—Cuando un contratiempo nos está deteniendo un
trabajo urgente.

—Cuando considerándonos capaces nos encomiendan
un trabajo que no lo sabemos hacer.

—Cuando nos encomiendan un trabajo que no lo
queríamos hacer.

—Cuando en un viaje se descompone el autobús y
tenemos prisa.

—Cuando esperamos encontrar una persona en la
ciudad y nos dicen que ha muerto.

—Cuando creíamos contar con el apoyo de una
persona, nos niega su ayuda.

—Cuando vamos en busca de cigarros y nos dicen
que ya no venden y no hay otro lugar cerca.

—Cuando pensamos salir y la mujer nos dice que
tenemos que ir a un velorio.

—Cuando nos hacen pagar una deuda por otro, por
amistad.

—Cuando creíamos que un amigo nuestro sería diputado, y nos dicen que no lo va ser.

—Cuando al tratar de bañarnos no hay agua.

—Cuando hemos prestado un dinero a un amigo
y nos niega.

—Cuando vamos a la única refaccionaria del pueblo
y nos dicen que no hay la pieza que buscamos,
etc., etc.

AHORA SÍ ME LLEVÓ LA CHINGADA

Es una frase que tiene hasta cierto punto ligas con
la anterior, pero tiene sus peculiaridades. Ejemplos:

—Cuando no encontramos empleo en ningún lado.

—Cuando nuestro coche no tiene compostura.

—Cuando llegamos a la casa y nos dicen que no
hay que cenar.

—Cuando llegamos a la casa y nos dicen los vecinos
que la familia se fue al cine y no sabemos a cuál.

—Cuando en el camino a la casa empieza a llover y
no hay dónde guarecerse.

—Cuando el político que nos ayudaba se murió o
perdió sus influencias.

—Cuando en una carretera se nos acaba la gasolina
y no hay dónde comprarla.

—Cuando necesitamos un dinero y no hay quién nos
lo preste.

—Cuando se nos han perdido nuestras cosechas.

—Cuando al bajar de un autobús se nos rompe el
único traje que tenemos.

—Cuando teniendo una cita, el jefe nos dice que tenemos que trabajar horas extras.

—Cuando nos dice el médico es urgente tomemos una medicina y no tenemos dinero para comprarla.

—Cuando se nos muere el padre y nosotros no tenemos de quién valernos.

—Cuando el médico nos dice que no debemos trabajar y vivimos del sueldo.

—Cuando el médico nos dice que tenemos una enfermedad incurable.

—Cuando nos dicen que es urgente una operación y no tenemos dinero.

—Cuando nos dicen que nos van a recoger el coche porque estamos atrasados en el pago.

—Cuando nos dicen que en la tienda ya no nos fían y no tenemos qué comer.

—Cuando nos dicen que tenemos que dar una fianza y nadie nos la quiere dar.

—Cuando nos dicen que tenemos que dejar la casa porque la van a tirar y no tenemos quién nos rente o nos exigen una renta que no podemos pagar.

—Cuando nos dicen que nos acusan de un delito que no hemos cometido, pero que se sospecha de nosotros.

—Cuando nos dicen que viene un pariente de visita y no tenemos manera de darle de comer, ni siquiera un día.

—Cuando se nos descompone el coche y no tenemos manera de pagar la reparación, etc., etc.

AHORA SÍ ME ESTÁN CHINGANDO

Se usa esta frase en muchos casos. Ejemplos:

—Cuando una persona está palpando el daño que le están haciendo.

—Un comerciante cuando sospechaba de un empleado, confirma que lo está robando.

—Cuando un político confirma que le están haciendo una labor contraria a sus planes.

—Una persona que se entera de que lo están comprometiendo.

—Cuando en el campo una persona lo está robando en su milpa.

—Cuando un ranchero se da cuenta de que alguien le está robando su ganado.

—Cuando una persona está propagando las malas acciones de otra, etc., etc.

AHORA SÍ ME RECHINGAN...

Es usual para decir cuando no tiene escapatoria alguna una persona que no halla manera de defenderse, como también en otros casos.

—Una enfermedad que no le deja dormir.

—Una persona que le está colmando la paciencia.

—Un vecino que siempre tiene la radio a todo volumen y no le deja dormir.

—El cigarro en su salud.

—El tener que levantarse temprano.

—El tener que aguantar a la suegra.

—El jefe cuando le ha tomado mala voluntad.

—El sol en las labores del campo.

—Cuando el Jefe Político lo trae a vueltas y no le afloja la lana.

—El tener que manejar todo el día.

—El tener que trabajar horas extras por necesidad.

—El tener que velar toda la noche.

—El tener que madrugar para estar puntual en el trabajo.

—El tener que ordeñar las vacas cuando está lloviendo.

—El tener que ir a como dé lugar a la manifestación.

—El tener que poner cara sonriente a la secretaria del jefe cuando es más déspota que un tirano.

AHORA SÍ ME ESTÁ LLEVANDO LA CHINGADA

Plática consigo mismo o con otra persona. Ejemplos:

—Cuando advierte que su salud deja mucho que desear.

—Cuando sus ingresos no le alcanzan para vivir.

—Cuando todos sus proyectos se le vienen abajo.

—Cuando hacen enojar a una persona y lo dice a otra.

—Cuando no hace cosas de provecho.

—Cuando ve que sus cosechas las está perjudicando la helada.

—Cuando en su tienda cada día vende menos.

—Cuando no le pagan los deudores.

—Cuando en el Banco ya no cuenta con crédito.

—Cuando la novia anda con otro.

—Cuando advierte que otro le está ganando los (clientes.

—Cuando llueve de más y las plantas se resienten.

—Cuando no llueve nada y las plantas se están secando.

—Cuando el jefe lo regaña.

—Cuando la suegra siempre le da razón a su hija.

—Cuando su tractor no trabaja bien y el tiempo está pasando.

—Cuando en el juego está perdiendo.

—Cuando advierte que el trabajo no le acude.

—Cuando la mujer le exige más de lo que puede.

—Cuando su hijo no le obedece y sí le pide dinero.

—Cuando las hijas le piden dinero para vestidos y no puede darles lo que necesitan.

—Cuando los peones no trabajan.

—Cuando el jefe se pone exigente.

—Cuando el padre se le muere y tiene que cargar solo con el gasto de la familia.

—Cuando las vacas no rinden leche y los pastos son caros.

—Cuando se le enferma la familia y no tiene para las medicinas que están caras.

AHORA SÍ ME VA A LLEVAR LA CHINGADA

Es confirmación de la frase anterior. Ejemplos:

—Cuando le dice el médico que ya no tiene cura.

—Cuando el jefe político que lo ayuda se murió.

—Cuando le informan que ya no va haber trabajo.

—Cuando su cosechas se echaron a perder por cualquier causa.

—Cuando su camión chocó y quedó inservible.

—Cuando por causas ajenas llega tarde a la oficina.

—Cuando sus amigos le vuelven la espalda.

—Cuando le informan que no va a ser el jefe político.

AHORA SÍ NO ANDA CHINGANDO

Al referirse a una persona que acostumbrada a hacer lo que se le antojaba, ha cambiado su manera de obrar. Ejemplos:

—Porque la autoridad le puso freno.

—Porque su apoyo político cayó en desgracia.

—Porque los vecinos le advirtieron que estaban decididos a acabar con él.

—Porque hay quien resultó más gallo que él.

AHORA SÍ NO NOS ESTÁ CHINGANDO

Se dice al advertir que ya no reciben perjuicios de una persona.

AHORA SÍ NO NOS PUEDE ESTAR CHINGANDO

Es común decir:

—Cuando sabe que se tiene apoyo fuerte.

—Cuando el malhechor está enfermo.

—Cuando el perjudicado tiene autoridad, etc., etc.

AHORA SÍ NOS ANDA CHINGANDO

Esta frase es aplicable en varios casos. Ejemplos:

—El coyote cuando está llevándose las gallinas.

—Un político que está con sus enjuagues dañando el prestigio del otro.

—El temporal a las plantas.

—Las heladas a los sembradíos.

—El inspector exigiendo la realidad de los ingresos a los comerciantes.

—El competidor de nuestro negocio.

—El jefe, que no nos deja ni a sol ni a sombra.

—El calor que nos tiene agobiados.

—El frío que nos atosiga sin tener con qué cobijarnos.

—La lluvia, por las goteras que tiene la casa.

—El trabajo excesivo.

—El cigarro, a nuestra salud.

—El vecino, con sus pleitos por cualquier cosa.

—El dueño de la casa aumentando la renta.

—El Gobierno subiendo las contribuciones.

—El prestamista recargando los intereses.

—La desvelada cuando tenemos que trabajar de noche.

—El mercado cuando los precios están muy bajos.

—El transporte cuando suben las tarifas.

—La vista cuando la luz es escasa.

—El camión cuando cada rato se descompone.

—Las lluvias cuando no nos dejan trabajar.

—El abigeo, cuando se lleva los ganados.

—El de tránsito cuando nos tiene ojeriza.

—El "maistro" cuando nos hace trabajar.

—El policía cuando sospecha de nosotros.

—El recaudador subiendo las contribuciones.

—El profesor exigiendo que los niños vayan con vestidos nuevos.

Exigiendo que lleven libros.

Exigiendo que los niños vayan bien bañados.

Exigiendo que le lleven regalos el día de su santo.

AHORA SÍ NOS VA A RECHINGAR

Es muy usual en casos semejantes. Ejemplos:

—Cuando un enemigo político nuestro asume un cargo oficial de importancia y se teme la revancha.

—Cuando un enemigo nuestro ya cuenta con buenas armas.

—Cuando un competidor ha puesto su sinfonola y nosotros no podemos comprarla.

—Cuando un competidor nuestro se ha sacado la lotería grande y va a mejorar su negocio.

—Cuando la helada viene muy fuerte.

—La lluvia fuera de tiempo.

—La sequía prolongada.

—La autoridad con nuevos impuestos.

—La autoridad al conocer nuestro delito.

—El acreedor al cobrarnos judicialmente.

—El nuevo gobernador con sus programas de trabajo.

—El nuevo jefe cuando quiere poner sus empleados de confianza.

—El jefe de tránsito aplicando el rigor de la ley.

—La temporada de lluvias en los caminos.

—El Ayuntamiento al tratar de componer las calles.

—Salubridad con sus disposiciones sanitarias.

—El médico al cobrarnos sus honorarios.

—El policía por haber echado basura a la calle.

—El patrón por haber trabajado mal.

—El Comisario ejidal por haberlo acusado.

—El dueño de la casa por haber roto el caño.

AHORA SÍ NOS CHINGAMOS

En plural o singular, esta frase en parte es sinónima de "Ahora sí nos llevó la chingada" pero al mismo tiempo tiene otras aplicaciones como lo vamos a ver:

—Cuando se quiere dar a entender que se trabajó mucho en una jornada o en un viaje.

—Cuando en un campeonato se ha perdido.

—Cuando se ha tomado la decisión de trabajar o de jugar con empeño. Promete que se ha de esforzar.

—Cuando se refiere a tercera persona, que se le ganó en la jugada de gallos o de naipes; que se le causó un gran daño, o simplemente que le hicieron pasar a mejor vida.

—También se usa, cuando hemos recibido un desengaño, por ejemplo, cuando no es el candidato que se esperaba; cuando nos han prometido una cosa y no nos cumplen; cuando nos han prometido pagar y se muere el deudor.

—Cuando creíamos arreglar el carro en el camino y no lo logramos.

—Cuando se nos acaba la gasolina en el camino y no hay en muchos kilómetros manera de conseguirla.

—Cuando nos prometen prestarnos alguna cosa y no nos cumplen.

—Cuando pensamos hacer un viaje y nuestra carcacha se descompone.

—Cuando nos han prometido una "chamba" y dejamos otra y siempre no nos la conceden.

—Cuando esperamos una invitación a una fiesta y y no nos la mandan.

—Cuando estamos esperando a una persona y nos avisan que no viene.

—Cuando estimamos tener suficientes bastimentos para una fiesta y siendo por cuota, nadie quiere afrontar la falta.

—Cuando un grupo de amigos se deciden a enfrentarse a unos enemigos al ver que no les queda otra.

—Cuando la autoridad compromete a un grupo a desempeñar tal o cual comisión.

—Cuando vamos a tener que pagar por otros.

—Cuando nos comprometen a hacer un trabajo, etc., etc.

AHORA Sí SE ESTÁ CHINGANDO

Esta frase tiene aplicaciones diversas. Veamos:

—Cuando una máquina cualquiera está resintiendo mucho el trabajo que tiene.

—Cuando una persona está perdiendo poco a poco su salud.

—Cuando una persona después de andar de floja, se pone a trabajar.

—Las plantas del campo (milpa) está sufriendo el rigor de la sequía.

—Una persona que después de haber gozado de influencias las va perdiendo poco a poco.

—A fulano. Una persona que está perjudicando a otra.

—La carretera. Con el exceso de lluvias.

—El comerciante con la fuerte competencia.

—El cacique mandón, cuando la superioridad lo hace entrar "a varas".

—La casa a causa de temblores.

—El ganado con la escasez de pastos.

—La autoridad municipal cuando el gobernador exige cumplan lo que prometieron hacer.

—La yunta de bueyes cuando la tierra está muy
mojada o muy reseca.
—El médico del pueblo cuando no hay enfermos.
—La llanta del automóvil con el mucho ajetreo o
mal estado del camino.
—El calzado de tanto andar.
—El vestido cuando no hay otro.
—Una persona que antes andaba en coche y ahora
tiene que andar a pie.
—Una persona que antes vivía de "gorra" y ahora
tiene que trabajar.
—A fulano. Porque lo está engañando.
—En los gallos. Cuando una persona le ha ganado
todas las peleas a otra.
—En el juego de naipes. Cuando una persona está
ganando a otra.
—En la política. Cuando un nuevo líder surge y
echa abajo a todos sus contrarios.
—Cuando una persona se está muriendo.

AHORA SÍ SE ESTÁN CHINGANDO

Esta frase tiene muchas aplicaciones. Veremos:
—Al referirse a un grupo cuando están peleando
unos con otros.
—A un equipo de foot ball, cuando están esforzándose
en el juego.
—Cuando dos personas están luchando "a muerte".
—Cuando un grupo de trabajadores después de ha-
ber estado trabajando con flojera lo están haciendo
con ímpetu.
—Las máquinas, cuando su desgaste está aprecián-
dose.
—Las milpas, cuando la sequía las está secando.
—Las llantas del coche al ver que están poniéndose
lisas.

—Los fabricantes a causa de una huelga.

—Los políticos cuando su jefe los regaña.

—Cuando un nuevo jefe hace trabajar a los empleados.

—Cuando los comerciantes están en abierta competencia.

—Las herramientas que se desgastan por un trabajo fuerte.

—Los zapatos de tanto andar.

—La fruta, cuando la están robando.

—Las siembras con las heladas.

—Los caminos con exceso de lluvias.

—En una tienda cuando los empleados confunden el bolsillo con la caja.

—En la oficina cuando unos y otros andan con chismes con el jefe.

—A fulano. Por sus malos procederes.

—A perengano. Por un embargo que le están haciendo.

—Los camiones de tanto viaje y viaje, etc., etc.

AHORA SÍ SE LO LLEVÓ LA CHINGADA

Es muy común para decir:

—Al referirse a una persona que ya murió.

—Un coche cuando choca y queda inservible.

—Cuando un político o cacique ha caído en desgracia o cuando el que lo apoyaba se murió.

—Cuando alguien esperaba ganar el pleito y lo perdió.

—Cuando nuestro radio se quema y ya no tiene remedio.

—Cuando alguien ha perdido su capital en el juego.

—Cuando a un comerciante lo embargan.

—Cuando una persona no cuenta con crédito en el banco.

—Cuando una persona ya no tiene a quien recurrir.
—Cuando a un hacendado le reparten sus tierras,
etc., etc.

AHORA SÍ SE LO VA A LLEVAR LA CHINGADA

Esta frase se aplica en muchos casos:
—Cuando un político ha terminado su período y en
las altas esferas ha cambiado el panorama.
—Cuando ha muerto quien lo ayudaba económica-
mente.
—Un comerciante en abarrotes que vende caro y el
gobierno ha puesto una tienda para vender a pre-
cios bajos.
—Cuando comenta una persona de un enfermo de
un mal grave.
—Cuando se comenta de una persona que ha perdido
en la siembra.
—Cuando se comenta de una persona a quien le
robaron la yunta de bueyes.
—Cuando a una persona le quitaron la chamba.
—Cuando atascado de deudas se le ocurre casarse.
—Cuando un político ha metido la pata y compro-
mete a los que le ayudan.
—Cuando a un hacendado le quitan las tierras.
—Cuando a una persona le han quitado una con-
cesión.
—Cuando a una persona se le muere la mujer que
era la que tenía "la lana" pero no la hereda.
—Cuando a una persona le cortan una mano con
cáncer.
—Cuando a una persona lo van a fusilar.
—Cuando a una persona le van a embargar.
—Cuando a una persona lo comprometen en política
y tiene en las altas esferas fuertes enemigos.

—Cuando un temblor ha dañado una finca y no tiene con qué repararla.

—Cuando a una persona se le casa un hijo que es quien lo mantiene.

—Cuando una persona ha perdido el pleito en el juzgado.

—Cuando se aclara que una persona fue el causante de una muerte y se le consigna a las autoridades.

—Cuando se descubre un fraude y afecta a alguien.

—Cuando se le viene abajo a una persona un proyecto con el cual esperaba quedar bien.

—Cuando se descubre que nada es cierto de lo que aparenta una persona.

—Cuando una persona por determinada causa ha perjudicado al Jefe Político que manda en la zona.

—Cuando se descubre que una persona ha obrado de mala fe.

AHORA SÍ TE ESTÁN CHINGANDO

Tiene diversas aplicaciones. Entre dos personas:

—Cuando se informa a alguien de que lo están poniendo en mal con el jefe.

—En política. Cuando por debajo están socavando la personalidad de alguien.

—Al decir a un comerciante la competencia que le están haciendo.

—Cuando están haciendo gestiones para quitarle su concesión.

—Cuando están desacreditando a una persona.

—Cuando a un político le están tirando en la prensa.

—Cuando un líder está gestionando la afectación de tierras.

AHORA SÍ TE RECHINGAS

Exclamación que hace un padre o superior al decir a un subalterno que no tiene otro camino que trabajar.

AHORA SÍ TE CHINGAS

Es frase semejante a la anterior pero que tiene otras aplicaciones. Ejemplos:

—Un amigo a otro cuando le compromete a pagar las copas.

—Un trabajador a otro cuando no quiere ayudarlo a terminar un trabajo.

—Cuando un amigo está haciendo una colecta y le dice que no tiene más remedio que dar algo.

—Un hermano a otro cuando aquél ha andado de flojo.

—Cuando un obrero le dice a otro que tiene que hacer guardia y aquél se rehusa.

—Cuando alguien ha hecho alarde de fuerza y otro le sale muy valiente.

—Cuando alguien ha causado un escándalo y la autoridad lo requiere.

—Cuando una persona promete algo y después trata de eludir el compromiso.

—Cuando un joven ha pedido la novia y se espanta con el gasto de la boda.

—Cuando una persona ha sido egoísta y acaba por pedir un favor.

—Cuando ha hecho alarde de dinero y después anda pidiendo favores, etc., etc.

AHORA SÍ SE RECHINGA

Para decir que una persona ahora sí trabaja con empeño.

AHORA SÍ SE VA A CHINGAR

Al observar que una máquina está a punto de romperse; también se aplica, cuando una persona va a pelearse con otra.

Como se puede aplicar a una máquina cualquiera, se dice también al referirse a un objeto cualquiera. Una silla de montar, una reata de lazar, etc., etc.

AHORA TE CHINGAS

Esta frase es semejante a una anterior en sus inter-pretaciones. Es el reflejo de la sentencia: La ley de Herodes "o te chingas" o "te jodes" diciendo que en este mundo no hay otra alternativa que el trabajo.

¡AH, QUÉ BIEN CHINGAN!

Expresión que manifiesta disgusto. Ejemplos:

—Cuando llegan pidiendo para esto y lo otro.

—Cuando ordena la autoridad pintar las casas.

—Cuando los hijos piden dinero a cada rato con mo-tivo o sin él.

—Cuando se acercan los amigos a pedir el coche prestado.

—Cuando las autoridades disponen ciertas obser-vancias.

—Cuando los limosneros llegan uno tras otro.

—Cuando los vecinos tienen el radio o tocadiscos a todo volumen y no dejan dormir.

—Cuando los vecinos van a pedir algún "tiliche" prestado.

—Cuando los dueños de la casa cada rato están echando vistas.

—Cuando estando en la calle, la familia tras de haber ido a una parte dicen que van a ir también a otras más.

—Cuando las autoridades suben los arbitrios o im-puestos, etc., etc.

¡AH, QUÉ LA CHINGADA!

Expresión que denota inconformidad con lo que se propone a una persona. Ejemplo: Te doy mi camio-neta por tu coche.

A LA CHINGADA

Frase muy usual. Veamos:

—Al despachar una persona de nuestra compañía.

—Al dar fin un trabajo.

—Cuando se despide a una persona que no desempeña bien su trabajo.

—Cuando se tira un objeto por inservible.

—Cuando una persona se ha cansado del trabajo que está haciendo y lo deja para otro día o definitivamente.

—Al levantarse de comer, de descansar, de contemplar un trabajo, un paisaje, de ver una película, etc., etc.

—Cuando tratando de hacer un trabajo no lo logramos.

—Cuando nos cansamos de buscar algo en las tiendas y no lo logramos.

—Cuando tratando de arreglar una máquina no encontramos la causa del mal y lo dejamos.

—Cuando no logramos lo que pretendemos.

—Cuando tratando de resolver un problema no podemos.

—Cuando estando reparando una máquina tiramos las piezas que ya no sirven.

—Cuando un mueble se apolilla y lo tiramos.

—Cuando estando en una reunión nos cansamos.

—Cuando a una persona van a proponerle algo que no le conviene y los despide.

—Cuando escribiendo una carta no coordinamos los conceptos y la mandamos como salga.

—Cuando cansados de un pleito transamos.

—Cuando cortamos cualquier discusión.

—Cuando terminamos un trabajo a como dé lugar.

A LA CHINGADERA

Trabajo hecho sin cuidado alguno, sea cual fuere su

naturaleza. Asimismo, un viaje sin programa, un juego sin combinarlo bien.

A LA CHINGADERITA

Hacer las cosas en forma superficial, a la ligera, sin pensarlo mucho, aprisa y corriendo, sin preocuparnos de que quede bien o mal. Ejemplos:

—Una carta de recomendación sin mayores razones.

—Un trato sin mayores condiciones.

—Una blanqueada de pared.

—Un viaje sin prepararlo.

—Una recepción a un político que no importa mayor cosa.

—Un arreglo a un coche que se pretende vender.

A LA MERA CHINGADERA

Tiene diversos significados.

—Dar con el blanco por casualidad.

—Dar un golpe donde se quería dar.

—Hacer un trabajo sin preocuparse si está bien o mal.

—Hacer un viaje sin determinar antes de hacerlo.

ALARMA DE LA CHINGADA

Desconcierto causado por una mala noticia en una familia, en un pueblo. En tiempos de la revolución, había alarma cuando se anunciaba la llegada de tropas rebeldes que cometían abusos con las familias y saqueaban comercios, etc.

ALBOROTO DE LA CHINGADA

Gritos, intemperancias y escándalo que hacen un grupo de personas ya en la calle o en una reunión.

ALCALDE CHINGÓN

Se aplica de diversas maneras.

—Cuando es muy apto para disponer.

—Cuando es muy ladino y aprieta demasiado en sus disposiciones, o también cuando chupa demasiado la ubre municipal.

ALCAIDE CHINGÓN

Se aplica según procede la persona. Ejemplos.

—Cuando mediante un enjuague deja salir los presos.

—Cuando es muy ajustado a las disposiciones legales.

AL CHINGADAZO

Tiene semejanzas con la frase anterior. Es hacer una labor sin pensarlo bien. Ejemplos:

—Un golpe.

—Jugar una carta.

—Dar una orden.

ALDEA DE LA CHINGADA

Pueblito que no tiene servicio público alguno. Un pueblo muy pobre, miserable, donde no se encuentra donde dormir ni comer.

ALEGRE COMO LA CHINGADA

Para referirse a una persona que siempre está de buen humor. Persona que tiene muy buen carácter, que le gustan las fiestas, alternar con las gentes, etc., etc.

AL FIN RESULTÓ COMO LA CHINGADA

Se dice cuando una fiesta, una reunión, etc., resulta todo lo contrario de lo que se esperaba. Ejemplos:

—Una boda que terminó en una balacera.

—Una línea de camiones en que sus vehículos llegan siempre tarde, o no salen con regularidad.

—Una colecta que después de mucha propaganda no da resultado.

—Un trabajo del cual no hubo beneficios.

—La elección de una autoridad de la que se esperaba
mucho y no trajo beneficio alguno al pueblo.

—Un arreglo a un camión, coche, tractor, máquina,
etc., que no sirvió para nada.

—Un viaje del que se esperaba disfrutar y no hubo
tal, etc., etc.

AL FIN RESULTÓ CON SU CHINGADERA

Se acostumbra decir en los casos en que se lleva
un chasco. Ejemplos:

—Una joven que cuenta con muchas amistades y al
fin de cuentas aparece con que va tener un niño.

—Cuando una persona dice haber cambiado de obrar
y siempre sigue con sus malhechuras, etc., etc.,

AL FIN RESULTÓ CON UNA CHINGADERA

Esta frase se aplica en diversos casos. Ejemplos:

—Cuando una persona llega a un lugar con ínfulas
de que es gran cosa y se descubre que no es tal.

—Cuando una persona promete hacer algo importante y al final resulta con una babosada.

—Cuando se anuncia una gran película y no agrada
al público.

—Cuando una persona promete pagar bien y al final
ofrece cualquier cosa.

—Cuando a un político se le van las palabras de
oferta y resulta al final con que no quiso el gobernador.

—Cuando una persona se ofrece gustosa a colaborar
en una reunión y al final "se raja".

—Cuando una persona dice tener la clave política y
está muy lejos de la realidad, al dar la noticia.

Y así sucesivamente en todos los casos en que se
espera algo bueno y nos decepcionan.

AL FIN RESULTÓ UNA CHINGADERA

Es muy usual esta frase cuando:

—Cuando se ha anunciado una gran fiesta y ésta resulta un fracaso.

—Cuando nos ofrecen algo que dice tiene mucho valor y resulta que no vale nada.

—Cuando en una reunión se acuerda hacer algo importante para el pueblo y no fue tal caso.

—Cuando una persona dice que va traer un gran coche y aparece a los pocos días con una carcacha.

—Cuando una persona dice que va a comprar un gran aparato de televisión y llega con uno de a cuarta.

—Cuando llega una compañía teatral y promete grandes escenas con hermosas artistas y resulta que todas son unas viejas que trabajan mal.

AL FIN SE CHINGÓ

Tiene diversas interpretaciones. Veamos:

—Un ladrón que durante mucho tiempo intentó robar una cosa.

—Un gavilán que anduvo durante muchos días volando sobre un gallinero y al fin encontró su presa.

—Un zorro que durante muchos días anduvo tratando de entrar al gallinero, pero cuando lo hizo cayó en la trampa.

—Un ladrón que muchas veces burló a la policía pero que al final fue apresado.

—Un trabajador que laboraba en lugares de peligro y un día perdió la vida.

—Comentario entre patrones al considerar que un obrero bien merece la pena de mejorar su sueldo.

—Al referirse a un trabajador que prestó servicios muchos años y al morir le pagan el entierro.

—Al romperse una máquina que prestó muchos años
de servicio y se rompió.

—Al pasar a mejor vida una persona que estuvo
mucho tiempo enferma.

—Cuando una persona ha estado perseverando en
un fin y no lo logra.

—Cuando una persona no anda por muy buenos
lugares y acaba por corromperse.

—Cuando a una persona enferma se le recomien-
da se cuide y no lo hace y por ello muere.

—Cuando una persona desesperada se quita la vida.

—Cuando una joven no obstante los consejos, persiste en llevar una vida libre y cae en el vicio.

—Cuando una persona trabaja demasiado y no obstante los consejos acaba por enfermarse y morir.

—Un acróbata que hace prodigios y al final cae
muerto de un mal salto.

—Un alpinista que escala los montes peligrosos y
al fin cae en un precipicio.

—A fulana, una persona que anduvo tras ella años
y años y al final logra que ella se entregue.

AL FIN SE LO LLEVÓ LA CHINGADA

Esta frase es semejante a la anterior, pero con más
fuerza, más sentido.

AL FIN TENÍA QUE SALIR CON UNA CHINGADERA

—Un político que propone hacer algo positivo y
resulta todo lo contrario.

—Una persona que hace reuniones de carácter social
pero que al final tiene miras personales no
limpias.

—Una persona que en una reunión insiste en hacer
uso de la palabra para salir con una babosada.

—Una persona que dice está escribiendo una gran

obra y resulta que no sirve ni para los niños de
primer año.

—Una persona que dice va a presentar un gran invento y resulta algo que desde hace siglos está en uso.

—Una persona que dice tiene un vino de calidad y
resulta que es falsificado.

—Una persona que en una reunión asegura va a
colaborar con fuerte cantidad y al final ofrece
cinco pesos.

—Una persona que dice va hacer grandes reformas
a su casa y resulta que sólo remiendos le hace.

—Una persona que dice va a ofrecer un banquete al
señor gobernador y resulta que el único platillo
son enchiladas.

—Una persona que dice que la boda de su hija va
tener resonancias en todo el Estado y resulta que
no asisten los principales invitados.

—Una persona que dice contar con influencias y
resulta que sólo tiene amistad con el portero de
la Casa del Gobierno. (Peor es nada).

—Una persona que dice va traer de la capital muchas cosas nuevas y resulta que sólo compró un
pito para su hijo.

—Una persona que dice muchas cosas pero que al
final resulta que no sabe lo que dice.

—Una persona que dice va a poner un gran negocio
y resulta que pone un molino de nixtamal.

—Una persona que dice tiene un gran reloj y resulta
que es de aquellos que tiene que dársele cuerda
cada seis horas, etc., etc.

ALGARABÍA DE LA CHINGADA

Escena que hacen varios grupos en una reunión
cuando discrepan en pareceres, sin llegar a un
acuerdo.

ALGÚN DÍA SE CHINGARÁN TODOS

Es una frase que se aplica para indicar que a un grupo enemigo le tocará la de perder. También:

—A un enemigo político cuando afirma que sus contrarios llevarán la de perder en no lejanos días.

—Cuando se hace una campaña contra las ratas aun cuando al principio no se logra labor efectiva.

—Cuando las tropas persiguen a bandoleros y éstos logran esconderse, pero que al fin caerán, etc., etc.

ALGÚN DÍA SE LOS LLEVARÁ LA CHINGADA

Esta frase es de sentido semejante a la anterior.

ALGÚN DÍA SE VA A CHINGAR

Se dice:

—Al referirse a una máquina cualquiera que trabaja con mucho esfuerzo, que se trabaja a su máximum de fuerza.

—Al referirse a un acróbata.

—Al referirse a una persona que no se preocupa por trabajar, pero que con el tiempo no le quedará otro recurso.

ALGÚN DÍA SE VAN A CHINGAR

Esta frase es el plural de la anterior aunque tiene sus aplicaciones. Veamos:

—Al referirse a un grupo que obra de mala intención.

—Al referirse a un grupo que alardea de fuerza o poder, pero eso no será siempre.

—Al referirse a un grupo de flojos y que tendrán que trabajar.

ALGÚN DÍA TE LLEVARÁ LA CHINGADA

Sentencia de una persona a otra que se aplica en muchos casos. Ejemplos:

—Cuando una persona corre mucho en su carro.

—Cuando una persona hace cosas atrevidas.

—Cuando una persona juega mucho.

—Cuando una persona abusa del vino.

—Cuando una persona abusa del cigarro.

—Cuando una persona hace alarde de alcanzar distancias a nado.

—Cuando una persona acostumbra hacer maniobras con su avión.

—Cuando una persona acostumbra jugar al amor con las casadas.

—Cuando una persona acostumbra el uso de drogas.

—Cuando una persona arriesga su vida nomás por alarde, etc., etc.

ALGÚN DÍA TENÍA QUE CHINGARSE

Esta frase se aplica en muchos casos. Ejemplos:

—Una persona que mucho corría en su carro.

—Una máquina por su uso.

—Un ladrón que al fin cayó en manos de la policía.

—Una persona que mucho abusaba del vino o de las drogas.

—Un enfermo que llevaba muchos años en la cama.

—Un torero que mucho se arrimaba al toro.

—Una persona que trabajaba con exceso.

—Una persona que jugaba peligrosamente.

—Una persona que hacía alarde de su pistola y que al fin encontró la horma de su zapato. Hubo otro más "Juan Charrasqueado" que él.

—Una vasija de loza o de cristal o vil vidrio que se usaba demasiado.

—Un "maromero" que andaba sobre las cuerdas, etc., etc.

ALGÚN DÍA TE VAS A TENER QUE CHINGAR

Sentencia que da una persona a otra que no hace
por trabajar.

ALGÚN "JIJO" DE LA CHINGADA

Esta frase es muy usada. Ejemplos:

—Cuando alguien cometió un robo y se dan cuenta. (Algún "jijo" de la chingada se llevó mi zarape).

—Se está robando las gallinas.

—Se está robando los elotes.

—Se llevó mi herramienta.

—Está robando en el almacén.

—Me está perjudicando en la política y no se sabe
quién.

—Me está poniendo de malas con el jefe.

—Me está chismeando con mi futura suegra.

—Me está chismeando a mi mujer de mis andadas.

—Me bajó la presión de la llanta.

—Me mandó esta carta sin firma.

—No quiere que yo sea diputado.

—No quiere que yo vaya a la convención.

—Me está poniendo "de malas" con la novia.

—Me está poniendo "de malas" con mi mujer.

—Me está rompiendo la cerca.

—Abriendo la acequia para que no tenga agua.

—Me chingó. Me fastidió, me fregó.

ALHAJADO COMO LA CHINGADA

Persona que lleva puestas muchas joyas.

Persona que le gusta el "mitote" o también le agrada
tomar parte en todas las fiestas.

ALHARACA DE LA CHINGADA

Escándalo causado por intemperancias de un grupo
de personas con otras con gritos y maldiciones, etc.

AHORRA COMO LA CHINGADA

Persona que es muy ajustada en sus gastos, por lo que tiene "centavos".

ALIMENTADO COMO LA CHINGADA

Persona que come alimentos sanos y de sustancia.

ALIMENTO CHINGÓN

Alimento de mucha fuerza nutritiva.

ALIVIADO COMO LA CHINGADA

Persona que estuvo muy enferma y que recuperó la salud totalmente.

A LO CHINGADO

Abundancia en todo.

A LO "JIJO" DE LA CHINGADA

Significa igual que la frase anterior. Mucho de todo.

A LO MEJOR NOS SALE CON UNA CHINGADERA

Significa tener dudas de una persona, de lo que pueda hacer, en bien o en mal.

ALTO COMO LA CHINGADA

Persona de gran altura. Puede referirse también a un monte, un árbol, un edificio, etc., etc.

ALZADO COMO LA CHINGADA

Persona a la que se le ha subido el puesto que disfruta.

AMANECIÓ DE LA CHINGADA

Comentario que se hace cuando el día se inicia con tormentas o lloviendo mucho.

AMARGO COMO LA CHINGADA

Bebida sea licor o de otra clase que le falta azúcar.

AMARRADO COMO LA CHINGADA

Tiene diversas aplicaciones. Veamos:

—Un político que tiene asegurada su curul u otra "chamba buena".

—Un bulto que está bien liado.
—Un objeto bien ligado con otros.

A MÍ ME LLEVA LA CHINGADA

Se acostumbra decir:
—Cuando a una persona, le repugna tratar con otra
que le es antipática.
—El tener que hacer algo que no le agrada.
—Cuando algo le causa disgusto, esto u lo otro.
—El que le ordene uno que presume.
—El tener que ir a un velorio por compromiso,
etc., etc.

A MÍ NO ME ESTÉS METIENDO EN CHINGADERAS

Se aplica en varios casos:
—Cuando un político quiere comprometer a una
persona.
—Cuando se le propone para tal o cual comisión.
—Cuando se le invita a que forme parte de un club.
—Cuando se le propone entrar en una sociedad,
etc., etc.

A MÍ NO ME VENGAS A CHINGAR

Se acostumbra decir, cuando se ve llegar a una persona que siempre propone algo que no nos conviene.

A MÍ NO ME VENGAS CON CHINGADERAS

Tiene varias aplicaciones:
—Cuando una persona llega con chismes.
—Cuando una persona llega vendiendo objetos que
no nos interesan.
—Cuando una persona que nos debe llega dando
excusas.
—Cuando una persona que nos causó un daño llega
queriendo darnos explicaciones.

A MÍ NO ME VUELVAN CON CHINGADERAS

Frase muy común de decir como despedida a una

comisión que ha ido a ver a una persona poco amante de colaborar. Ejemplos:
—Cuando visitan a una persona para proponerlo
como munícipe.
—Cuando tratan de nombrarlo miembro de la directiva de un club, o que tome parte en él.
—Cuando un grupo trata de invitar a otra persona
a que forme parte, de una comisión, etc.
—Cuando tratan de envolverlo en un plan poco
honesto.
—Cuando algunos tratan de que su vecino forme
parte de su grupo político, etc., etc.

A MÍ, ¿P'AQUÉ CHINGADOS ME QUIEREN?

Respuesta en diversos casos. Veamos:
—Cuando lo mandan llamar de la Presidencia Municipal por medio de un recado verbal.
—Cuando un grupo llama a una persona a que se
sume a ellos.
—Cuando un grupo insiste en que se vaya con ellos,
etc., etc.

A MÍ ¿QUÉ CHINGADOS ME HACEN?

Pregunta que se hace en diversos casos. Veamos:
—Cuando se le acusa de algo que no lo compromete.
—Cuando se niega hacer algo que le han encomen-
dado y no teme responsabilidades por ello.

A MÍ ¿QUÉ CHINGADOS ME IMPORTA?

Es un decir muy común cuando a una persona le
indican que debe tomar parte en esto o aquello y
no le interesa.

A MÍ ¿QUÉ CHINGADOS ME VAN A SACAR?

Es común decir cuando a una persona se le amenaza con exigencias de un pago, porque no tiene nada
con que pagar.

—Cuando una persona que estando en falta tiene quien lo ayude.

—Cuando tiene manera de defenderse.

A MÍ ¿QUÉ CHINGADOS ME VIENEN A VER?

Respuesta o frase usual en diversas ocasiones:

—Cuando varias personas van en comisión a entrevistar a una persona.

—Cuando una persona visitada estima que no es la adecuada para el asunto que le tratan.

AMOLADO COMO LA CHINGADA

Persona que carece de recursos y que antes los tuvo.

AMUEBLADO CHINGONAMENTE

Local que ha sido acondicionado con muebles y demás objetos en forma muy adecuada.

AMULADO COMO LA CHINGADA

Mercancía que ya no sirve, que ya no se vende, que ha pasado de moda.

También se dice de una persona que es inútil para todo.

¡ANDA A LA CHINGADA!

Expresión muy común de decir:

—Cuando le están proponiendo a una persona un asunto que no le conviene.

—Cuando le proponen un puesto oficial y lo duda.

—Cuando se le propone hacer un negocio y duda de que en efecto lo sea.

—Al despachar a una persona sin más contemplaciones.

—Cuando una persona pide permiso a su superior y se lo concede.

—Cuando un trabajador pide aumento de sueldo y no se le concede.

—Cuando una persona que es borrachita pide trabajo.

—Cuando una persona dice a otra, que los rusos han inventado una máquina de hacer chamacos, y la otra "le tira a lucas".

—Cuando un chofer le dice a otro que llega de México al Puerto de Acapulco en tres horas.

—Cuando una persona dice a otra que ha visto de cerca los platillos voladores.

—Cuando un ranchero dice a otro que tiene una gallina que pone de mañana y de tarde.

—Cuando un minero dice a otro que encontró una veta de puro oro.

—Cuando una persona pide dinero prestado a otra, cuando no tiene ni para comer.

—Cuando un soldado dice a otro que en un combate él solo mató a veinte.

—Cuando un ranchero dice a otro que su milpa tiene mazorcas de dos cuartas.

—Cuando un comerciante dice a otro que vende mucho cuando se sabe que ni las moscas se le paran.

—Cuando un viejo dice a otro que se va casar con una muchacha de veinte años.

—Cuando un ranchero dice a otro que va tener buena cosecha y se sabe que la sequía acabó con las plantas.

—Cuando un político caído dice a otro que va a ser gobernador, etc., etc.

ANDA A LA CHINGADERA

Persona que lleva una vida sin un trabajo definido, algo así como a tontas y a locas.

ANDA COMO LA CHINGADA

Es común decir:

—Cuando una persona está disgustada.

—Cuando una persona anda mucho a pie.

—Cuando una persona anda muy aprisa.

—Cuando una persona viaja mucho.

—Cuando una persona anda a grandes velocidades.

ANDA CON CHINGADERAS

Tiene esta frase diversas interpretaciones. Veamos:

—Cuando una persona siempre anda con cuentos de una parte a otra.

—Cuando una persona comercia con chucherías.

—Cuando una persona anda en asuntos que no le incumben.

—Cuando una persona anda metiendo zizaña en los grupos, etc., etc.

ANDA DADO A LA CHINGADA

Persona que:

—No tiene un centavo para vivir.

—Que ya carece de salud.

—Desprestigiada bajo todos aspectos.

—De mal humor.

—Desesperada, etc., etc.

ANDA DE LA CHINGADA

Persona que está perdida moralmente en todo lo que es la vida. También económicamente desprestigiado. Vestidos con harapos. Se dice también:

—Cuando anda mal con la familia.

—Con los amigos.

—En la política, etc., etc.

ANGOSTO COMO LA CHINGADA

Se dice:

—De un paso en un camino.

—De un camino de poco espacio.

—De un lugar reducido.

—De un terreno.

—De un pasillo en una casa.

ANIMADO COMO LA CHINGADA

Sujeto dispuesto a todo y para todo, sea para una fiesta, trabajo, viaje, etc., etc.

ANTIGUO COMO LA CHINGADA

Edificio o un objeto que tiene siglos o muchos años.

ANTIPÁTICO COMO LA CHINGADA

Persona que no es agradable bajo aspecto alguno.

ANTOJADIZO COMO LA CHINGADA

Persona que desea adquirir todo lo que ve sea en objetos, bebidas, etc., etc.

APAREJADO COMO LA CHINGADA

Persona, lugar, etc., etc., muy bien arreglado.

APECHUGA HASTA LA CHINGADA

Persona que no "se raja" que aguanta todo lo que se le encomienda, hasta económicamente.

APORREADO COMO LA CHINGADA

Persona a quien lo golpearon sin dejar lugar sano en el cuerpo.

APRECIADO HASTA LA CHINGADA

Persona muy estimada por todo el mundo.

APUESTA A LO "JIJO" DE LA CHINGADA

Para indicar que una persona apuesta muy fuerte.

APUESTA COMO LA CHINGADA

Semejante a la frase anterior pero tiene otras aplicaciones. Veamos:

—Persona que apuesta en cuantas ocasiones se presentan.

APUNTA COMO LA CHINGADA

Persona que allí donde pone el ojo allá deja la bala.

¿A QUÉ CHINGADOS LE TIRAMOS?

Pregunta cuando nos invitan a la caza donde no hay piezas a qué tirar. También se dice:

—Cuando estando en una ciudad no hay nada acordado con anterioridad a donde ir a divertirse.

—Cuando estando en un lugar no saben qué hacer, etc., etc.

¿A QUÉ CHINGADOS LO LLEVAS?

Pregunta:

—Cuando una persona se hace acompañar de su hijo en un viaje.

—Cuando una persona lleva su carro a un lugar donde no va poder transitar.

—Cuando una persona lleva en una bolsa un gallo a un lugar y dice que no va a jugar.

—Cuando una persona lleva en sus manos un documento y le preguntan para que lo lleva, etc., etc.

¿A QUÉ CHINGADOS LO TRÁIS?

Pregunta muy general cuando:

—Una persona se hace acompañar por su hijo en los casos en que no van a andar por muy santos lugares.

—Cuando una persona lleva en la pulsera el reloj y éste no anda.

—Cuando una persona lleva puesto un suéter y se queja de que hace calor.

—Cuando una persona trae en los brazos el impermeable y no se lo pone aunque esté lloviendo.

—Cuando una persona llega a un lugar acompañado de otra que no es bien vista, etc., etc.

¿A QUÉ CHINGADOS NOS LLEVAS?

Pregunta que se hace cuando una persona los invita, sus amigos le dicen a qué los lleva, porque no les dice nada.

¿A QUÉ CHINGADOS NOS TRAJISTE?

Es muy común decir, cuando una persona ha invitado a sus amigos y estos están esperando que cuando menos los invite a una copa.

¿A QUÉ CHINGADOS SE IRÁ?

Pregunta que se hacen las personas que están observando que otra sale de viaje.

¿A QUÉ CHINGADOS SE VAN?

Pregunta:

—Cuando un grupo dice que se van a la ciudad y tratan de saber a qué.

—Cuando un grupo dice se va a una fiesta que no va ser tan fiesta.

—Cuando un grupo dice se va de la población a otra parte y preguntan la causa.

—Cuando estando en un lugar un grupo trata de despedirse.

¿A QUÉ CHINGADOS VAMOS?

Pregunta muy común:

—Cuando nos invitan a una fiesta donde no es nuestro ambiente.

—Cuando nos invitan a la feria y no tenemos dinero.

—Cuando nos invitan a un paseo y no le hallamos un atractivo, etc., etc.

¿A QUÉ CHINGADOS VENDRÁ?

Pregunta cuando corre la voz de que viene a la población determinada persona o bien:

—Cuando el jefe de una empresa visita los diversos departamentos.

—Cuando se anuncia en el pueblo la visita del Gobernador.

—Cuando se ve venir una persona al lugar donde estamos.

—Cuando se ve venir desde la puerta a un funcionario en dirección nuestra.

—Cuando se nos anuncia una visita, etc., etc.

A QUÉ CHINGADOS VINISTE?

Pregunta normal que se hace cuando una persona
se presenta ante otra. Veamos los casos:
—Cuando una persona alejada de una población
donde vivía, ahora vuelve.
—Cuando un trabajador está ocioso y el jefe le
pregunta a qué fue si a trabajar o estar mirando.
—Cuando una persona hace visita a otra y no le dice
la causa.
—Cuando una persona está en una reunión de personas y está sin hablar ni hacer nada, etc., etc.

AQUEL CHINGADO...

Es común decir:
—Cuando alguien salió sin decir nada. Se fue sin
avisar.
—No hizo nada.
—No va venir.
—Se está haciendo tarugo.
—Se lo va llevar la chingada. Refiriéndose a una
persona que no fue preparada para defenderse,
de sus enemigos, de la lluvia, del frío, etc., etc.
—Ya me tiene hasta la chingada. Denota disgusto,
bien porque no hace bien el trabajo, porque llega
tarde, etc., etc.
—Se fue a la chingada. Como diciendo que se fue
del lugar, a la calle, a jugar, sin decir nada, etc.,
etc.

AQUEL CHINGADO NO SE LLEVÓ SUS CHIVAS

Esta expresión no tiene carácter de insulto pues se
aplica a los hijos o amigos. Ejemplos:
—Cuando alguien al salir de su casa o de otro lugar
ha dejado sus cosas y debía llevarlas.
—Cuando alguien dejó sus herramientas, etc., etc.

AQUEL "JIJO DE LA CHINGADA"

Esta frase sí tiene en su interpretación coraje o rencor con otra persona. Ejemplos:

—Me chingó. Dando a entender que lo perjudicó.

—Se llevo mis chingaderas. Le robó sus cosas.

—Se lo va llevar la chingada. Dando a entender que le va a buscar la forma de perjudicarlo.

—Lo voy a chingar. Determinación de buscarle daños.

—Voy hacer que se chingue. Determinación de que lo va a hacer trabajar, o pagar según los casos.

¿A QUE VIENEN TÁNTAS CHINGADERAS?

Pregunta:

—Cuando en un contrato se insertan muchas condiciones.

—Al tratar de organizar una fiesta con mucha etiqueta.

—Cuando nos hablan con frases rimbombantes.

—Cuando una persona al comer anda con remilgos.

—Cuando un grupo se presenta de malos modos.

—Cuando en el juego, en el club, en el trabajo, etc., se exigen determinadas reglas.

—Cuando en su arreglo las mujeres están más cuidadosas que de ordinario.

—Cuando en la casa, en un salón de fiestas, etc., etc., se están colocando adornos por todas partes.

—Cuando se habla a una persona con mucha "política".

—Cuando en un pueblo se trata de aplicar un reglamento de sanidad.

—Cuando en un taller o fábrica se trata de aplicar severos reglamentos.

—Cuando para asistir a una fiesta exigen vestir de mucha etiqueta, etc., etc.

AQUÍ ESTÁ LA COSA DE LA CHINGADA

Esta frase tiene muchas aplicaciones. Ejemplos:
—Cuando el ambiente político está caldeado.
—Cuando en una reunión los ánimos están exaltados.
—Cuando en una población se han reunido dos bandos.
—Cuando no se encuentra trabajo en ninguna parte.
—Cuando la situación económica está por los suelos.
—Cuando un líder trata de imponerse a como dé lugar.
—Cuando las autoridades tratan a los vecinos de malos modos.
—Cuando la competencia es abierta, etc., etc.

AQUÍ ESTAMOS QUE NOS LLEVA LA CHINGADA

Es común decir:
—Cuando se han perdido las cosechas y no hay que comer.
—Cuando el frío aprieta y no hay manera de cobijarse.
—Cuando el jefe político no nos hace caso.
—Cuando demoran la raya a los peones.
—Cuando nos han prometido "chamba" y nos entretienen días y más días.
—Cuando nuestros enemigos nos están "azorrillando" y no tenemos manera de defendernos.
—Cuando nos están "tirando" en los periódicos y nos dicen puras verdades.
—Cuando nuestros competidores nos están ganando.
—Cuando nos han enviado a una comisión a un pueblo y no logramos cumplir las instrucciones.
—Cuando no nos hacen caso las autoridades.
—Cuando la carretera está cortada y el gobierno no la compone.

—Cuando el gobierno nos impone precios tope y el
costo es superior al precio señalado.
—Cuando en plenas labores del campo no llueve y
las plantas se están secando.
—Cuando no encontramos peones para hacer la cosecha y nos están robando.
—Cuando está llueve y llueve y no podemos hacer
nada.
—Cuando se advierte que en una ciudad los policías
son muy rectos.
—En una tienda de lujo donde no se venden chucherías.
—En una fiesta donde no se permiten abusos de
ninguna especie.
—Cuando los agentes de tránsito no admiten se les
"alargue la mano con lanita".
—Cuando en un taller se trabaja con orden y sin
relajos.
—Cuando en un grupo o reunión no se permiten
bromas pesadas.
—Cuando en un libro se creía encontrar relaciones
indecentes y no hay tal, etc., etc.

AQUÍ ESTÁN TUS CHINGADERAS

Se aplica cuando se presentan a una persona los
daños que ha causado, las consecuencias de sus fechorías, o también, cuando se entregan a una persona
sus objetos personales.

AQUÍ HAY PURA CHINGADA

Se indica que allí donde le han dicho que está lo
que busca no se halla.

AQUÍ HAY PURAS CHINGADERAS

Indicando que en determinado lugar no hay cosa
que valga la pena.

También, para indicar que en un lugar o centro social no hay más que enredos, pleitos, robos, enjuagues, etc.

AQUÍ NO ANDES CON CHINGADERAS

Consejo que se da a una persona. Veamos los casos:

—Sin mentiras porque son gente seria.

—En una reunión en casa de mucha importancia cuya familia es muy recta en sus cosas.

—En una asociación donde una persona se excusa con babosadas de un acto indebido.

—En un banco donde una persona debe y se excusa del pago con razones de poco peso.

—Cuando una persona prometió en un club y después trata de zafarse del compromiso.

—En una ciudad los amigos aconsejan no ande haciendo cosas indebidas.

—En un restaurant serio alguien trata de pellizcar a las "cigarreras".

—En un sindicato donde alguien trata de "armar relajo".

—En un sindicato cuando alguien trata de criticar al líder, etc., etc.

AQUÍ NO SE HACEN CHINGADERAS

Tiene diversas aplicaciones como vamos a verlas.

—En un taller de importancia no hacen arreglos insignificantes.

—En una notaría donde se pretende torcer un testimonio y no se lo permiten.

—En una imprenta donde se pretende editen libretos pornográficos.

—En un equipo deportivo donde se juega limpio.

—En una fiesta donde una persona trata de hacer "relajo".

—En un pueblo donde una persona trata de alterar el orden.

—En una compañía de seguros donde una persona trata de asegurar a otra que está al borde de la caja mortuoria.

—Cuando en un choque de autos una de las partes trata de zafarse del compromiso y el agente de seguros no lo admite.

—Cuando una persona después de retirar su carro del taller va a reclamar algo que no está bien.

—Cuando una persona trata de insinuar al Ministerio Público proceda contra un tercero sin causa justificada.

—En un hotel donde un pasajero trata de ciertas "movidas" cuando ha llegado solo.

—En un banco donde se pretende admitan un cheque de persona de escasa reputación y además corresponda a otro banco.

—En un juzgado donde es costumbre aplicar el rigor de la ley y se pretende un disimulo, etc., etc.

AQUÍ NO HAY CHINGADERAS

Es muy común esta frase y tiene diversas aplicaciones:

—En una joyería de postín dando a entender que sólo tiene cosas finas.

—En un taller mecánico, indicando que todo trabajo es correcto.

—En una tienda en la que sujetan sus ventas a precios justos.

—En un grupo, que se precia de serio.

—En un trato entre gente seria, como diciendo no hay entre nosotros "enredos".

—En una notaría en la que todo se tramita llenando rigurosamente los trámites legales.

—En un restaurant de postín donde dicen que no
sirven "enchiladas".

—En una investigación rigurosa.

—Entre jugadores que juegan "limpio".

—Entre periodistas que se precian de serlo.

—Entre abogados que sólo reciben "asuntos" limpios.

—En un Casino o Club donde sólo admiten a gente
de prestigio (?).

—Cuando una persona se da cuenta que una familia
es muy seria.

—Cuando en un Hotel no admiten "así nomás" a
los pasajeros.

AQUÍ NO HAY MÁS QUE CHINGADERAS

Se dice en diversas ocasiones:

—En una tienda donde no hay mas que chucherías.

—En una reunión donde no se trata nada en serio.

—En un pueblo donde no hay cosa que valga la pena.

—En un pueblo donde todos hablan del prójimo,
bien porque da motivo y aunque no los dé, o sea
que viven entre enredos y pleitos.

—En un club donde no hay orden ni concierto y
cada grupo se mueve sin regular sus actos al reglamento, etc., etc.

AQUÍ NO SE ANDAN CON CHINGADERAS

Se dice:

—Porque en un club no son "codos" y azotan cuando es necesario, con liberalidad.

—Porque en un pueblo la manera de vivir es recta.

—Porque en caso necesario le entran a los puñetazos.

—Los policías cuando "l'entran" duro con los que
alteren el orden.

—Cuando en un sindicato "jalan parejo" en un momento dado.

—En un equipo deportivo "l'entran" de macizo.
—Cuando en un pueblo todos contribuyen y nadie se "raja" bien se trate de un incendio u otra causa.
—En el pueblo donde no andan regateando por los gastos de la fiesta.
—Un grupo que no se mide para hacer fechorías.
—En una agrupación que no escatima gasto alguno al organizar una fiesta.
—En un pueblo en el que sus habitantes hacen que las obras públicas se hagan como es debido.

AQUÍ NO SE DICEN CHINGADERAS

Se aplica en muchos casos: Verbi gracia:
—Cuando una persona está hablando en forma grosera en un lugar donde deben guardarse las formas.
—Cuando en una reunión o asamblea alguien dice algo fuera de la verdad.
—En una oficina pública alguien disputa con leperadas, etc., etc.

AQUÍ NO SE ME ANDEN CON CHINGADERAS

Es frase similar a la anterior, pero tiene también sus aplicaciones.
—Un padre a sus hijos cuando va a visitar a una familia que estima mucho.
—En un cuartel cuando algunos soldados tratan de meter vino, o simplemente no cumplen con las órdenes que se les dan.
—En un taller donde un grupo trata de alterar el orden, etc., etc.
—Cuando una familia decide cambiar de población porque donde están no logran medios de subsistencia.

—Cuando en una sala de espera el viento frío o
la lluvia están molestando.

—Cuando tienen que hacer cola para alcanzar algo
que desean comprar.

—Cuando la necesidad obliga a trabajar horas
extras, etc., etc.

AQUÍ NOS ESTAMOS CHINGANDO

Es costumbre decir:

—Cuando en un lugar se está perdiendo la salud,
el dinero y no hay amigos que ayuden.

—Comentario al decir que en ese lugar están trabajando, etc., etc.

AQUÍ NOS VAMOS A CHINGAR

Frase que tiene diversas aplicaciones. Veamos:

—Grupo que decide trabajar con empeño y salir
avante en su propósito.

—Grupo de bandidos que estima sacar buen botín
en el lugar donde van a cometer el asalto.

—Perspectivas que ven los trabajadores de obtener
buenos sueldos.

—Cuando un grupo estima el lugar peligroso, etc.

AQUÍ NOS VA A LLEVAR LA CHINGADA

Estimación de un estado económico. Veamos casos:

—Cuando estamos en un lugar peligroso.

—Cuando no vemos perspectivas de mejorar económicamente, o hacer algo de provecho.

—El político que estima que sus compañeros no
"jalan parejo".

—Cuando no se obtienen buenas cosechas.

—Al encontrar un derrumbe en la carretera y no
hay paso.

—Al atascarnos en un vado y no hay quien nos
ayude.

—Al encontrarnos en un ambiente hostil.

—Estando en un lugar al desatarse una balacera no tenemos donde escudarnos.

—Cuando llegamos a un lugar y no hay donde comer.

AQUÍ NOS VAN A CHINGAR

Frase usada en diversos lugares y casos. Veamos:

—Pelea de gallos donde los contrarios tienen mejores ejemplares.

—Centro nocturno donde estiman no haber seguridad.

—Centro de juego donde se ve que juegan sucio.

—Grupo de bandidos que teme los vayan a capturar.

—En un pueblo donde todos tienen armas y pelean por cualquier cosa.

—Bandidos capturados que los llevan a un lugar apartado y temen los fusilen.

—Arrieros que llevan sus burros con carga y al pasar por un pueblo los llevan a la Tesorería Municipal, para cobrarles alcabala.

—Comerciantes ambulantes que al llegar a una feria, los derechos de piso están elevados.

—En un restaurant ubicado en un lugar solitario y al pedir de comer los miran primero si tienen trazas de llevar dinero.

—En un taller al llevar el coche dicen que tienen que hacerle muchos arreglos aunque no sea urgente.

—En una cantina donde un grupo empieza a molestar.

—Al pasar por un pueblo con el coche, los agentes de tránsito se ponen exigentes. Esto "in mente".

—Cuando nos mandan a llamar de la comisaría dizque para hacer una colecta y comprar un obsequio al Jefe del Banco Ejidal.

AQUÍ NOS VAN A RECHINGAR

Esta frase refina la anterior y se aplica en los casos en que las circunstancias son más agudas.

AQUÍ NO TE METAS EN CHINGADERAS

Consejo que se da:
—Bien porque no se dejan.
—Bien porque fulano es influyente.
—Bien porque no conviene que te desacredites.
—Bien porque es necesario trabajar.
—Bien porque con cualquier fechoría lo meten en la cárcel.
—Bien porque la vida es cara y se gana poco.
—Bien porque corre peligro la vida.

AQUÍ NO TRAIGAS CHINGADERAS

Indicación que se hace:
—Cuando algún vendedor lleva objetos que no valen o son falsificados.
—Cuando a una tienda de lujo van a ofrecer chucherías.
—En un hotel de primera llega un cliente con líos de petate en vez de petacas.
—Cuando un padre muy trabajador, ve llegar al hijo con equipo de deportes, en vez de dinero para el gasto de la casa, etc., etc.

AQUÍ NO VENGAS CON TUS CHINGADERAS

Indicación:
—En un centro social donde impera el orden.
—En una población donde son muy "quisquillosos".
—Al llegar a un lugar donde no admiten bromas.
—Al llegar ante un grupo y trata de comprometerlo con sus enredos.
—Al llegar a su casa y lleva cosas que hacen estorbo.
—Orden a una persona impidiéndole la entrada con objetos de hacer travesuras.

AQUÍ NO VENGAS HACER CHINGADERAS
Indicaciones:
—Cuando una persona no es formal, y en el pueblo
o grupo no se gastan bromas.
—De igual manera, cuando llega a una fiesta de
etiqueta.
—Lo mismo en un taller o cualquier centro de tra-
trabajo, etc., etc.

AQUÍ SE CHINGARON
Frase muy usual. Veamos:
—Cuando se señala el lugar donde mataron a fulano.
—Al decir de un lugar donde trabajaron.
—Al decir donde los enemigos se "achicopalaron".
—Al señalar el lugar donde pelearon dos personas.
—Al señalar el lugar donde mataron a una persona.
—Al señalar el lugar donde los enemigos no pudie-
ron hacer de las suyas.
—Al señalar el lugar donde los ladrones no pu-
dieron.
—Lugar donde los obligaron a trabajar.
—Lugar donde un grupo político no logró impo-
nerse.
—Lugar donde robaron las vacas a fulano, etc., etc.

AQUÍ SE CHINGÓ
Es muy variada la significación de esta frase.
Veamos:
—Indicando el punto donde se rompió una pieza,
un vestido, etc.
—Cuando se señala el lugar donde chocó una per-
sona y murió.
—Al señalar el lugar donde se quitó la vida una
persona.
—Al señalar el lugar donde estuvo trabajando mu-
chos años una persona.

—Al indicar un abogado el punto débil en un escrito al defender un caso.

AQUÍ SE LOS LLEVÓ LA CHINGADA

Esta frase tiene aplicaciones diversas. Veamos:

—Señalando el sitio donde tuvo lugar un combate o una batalla donde perdió el enemigo.

—Señalando el lugar donde trabajaron y perdieron.

—Señalando el lugar donde se desbarrancó un camión y murieron todos sus ocupantes.

—Cuando se tiene acorralados a los bandidos o enemigos políticos.

—Señalando el lugar donde se ahogaron.

—Cuando un grupo de gentes de mal vivir son amenazados por la gente del pueblo, etc., etc.

AQUÍ SÍ HAY CHINGADERAS

Cuando se advierte que en un lugar se registran actos penados por la ley, enjuagues de toda naturaleza, relajos, negocios sucios más o menos disimulados, enredos de todas clases, etc., etc.

También se aplica esta frase al llegar a un lugar donde no hay muchas cosas en qué divertirse o para comprar.

AQUÍ TE CHINGAS

Frase que significa una disyuntiva. Ejemplos:

—Cuando dos amigos se encuentran en una cantina y uno le dice a otro que tiene que pagar las copas.

—Cuando dos enemigos se encuentran y uno le dice al otro que tiene que morir.

—Cuando un padre o hermano dice al menor que tiene que trabajar para comer.

—Cuando un familiar encuentra al raptor de una dama y le exige que se casen.

—En el juego uno que gana dice retirarse y los demás le exigen siga jugando.

—Cuando un amigo le dice a otro que le pague lo que le debe al cobrar la raya.

—Cuando en una ciudad se encuentran dos conocidos y uno pide dinero, el otro le contesta que no hay más remedio que trabajar, si quiere comer.

—Cuando han jugado las copas el perdedor quiere "rajarse".

—Cuando obligan a un individuo a trabajar para que pague lo que debe.

—Indicación que hace una persona a otra al ver que el trabajo que está haciendo es muy pesado, etc., etc.

AQUÍ TE CHINGARON

Tiene diversas aplicaciones:

—Señalando el lugar donde le dieron una puñalada.

—Señalando el lugar donde le robaron.

—Señalando el lugar donde le ganaron en el juego.

—Indicándole que no le dieron lo vuelto cabal.

—Indicando que no le rayaron completo.

AQUÍ TE TRAIGO TUS CHINGADERAS

Frase que se dice cuando se devuelven cosas que pertenecen a otro.

Se dice también, cuando se traen trabajos ejecutados pero mal hechos, etc., etc.

AQUÍ TE VA A LLEVAR LA CHINGADA

Se dice en varios casos. Ejemplos:

—Porque en el lugar donde trabaja no le pagan bien.

—Porque el lugar es malsano.

—Porque en el lugar hay mucha gente de mal vivir.

—Porque la vida es muy cara y no percibe lo suficiente para comer bien.

—Porque sus jefes no aprecian su trabajo y no prospera, etc., etc.

También:

Consejo que se da a una persona cuando el lugar donde trabaja no le conviene.

—Porque el lugar es malsano.

—Porque no le pagan bien.

—Porque tiene muchos enemigos, etc., etc.

AQUÍ VAS A COSECHAR PURA CHINGADA

Indicación que hace un amigo a otro al saber que va a sembrar en aquellas tierras.

AQUÍ VAS HACER PURA CHINGADA

Indicación que hace un amigo a otro, por:

—Porque sus recursos son escasos y los competidores muy fuertes.

—Consejo a uno que pretende imponerse políticamente, porque el medio le es adverso

—Porque la vida es cara en el lugar.

—Porque no le ayudan sus conocimientos.

—Porque los empleos están mal remunerados.

—Porque el clima no se presta para trabajar.

—Porque las tierras no se prestan para meter tractores.

—Porque los peones no responden y hacen lo que les da la gana.

—Porque las tierras son malas.

—Porque las contribuciones son altas.

—Porque no está en buenas ligas con las autoridades.

—Porque el medio no se presta.

—Porque hay mucha competencia.

—Porque las comunicaciones se interrumpen en tiempo de aguas.

—Porque tu familia no te ayuda.

—Porque tiene muchos compromisos.
—Porque gastas más de lo que ganas.
—Porque trabaja con flojera.
—Porque no atiende como es debido su negocio.
—Porque le están robando y no se da cuenta.
—Por querer abarcar más de lo que puede.
—Porque su novia no lo deja ni a sol ni a sombra.
—Porque anda "atarantado" en su trabajo.
—Porque no se da cuenta de que le están haciendo
"política", etc., etc.

ARRANCA COMO LA CHINGADA

Tiene diversas aplicaciones. Veamos:
—Cuando el motor de un coche "arranca" con solo
apretar el botón.
—Cuando ese mismo coche "arranca" con poco ace-
lerar.
—Cuando una persona acostumbra "arrancar" su
coche en forma violenta.
—Persona que arranca las hierbas rápidamente.

ARRANCÓ DE CHINGADERA

Motor que después de haberlo intentado muchas veces, echa a andar.

ASEGURADO COMO LA CHINGADA

Persona que vive en una casa con puertas y ventanas
bien protegidas.

ASENTADO COMO LA CHINGADA

Cuando un edificio está sobre rocas firmes.

ASESINO COMO LA CHINGADA

Persona que no se piensa para matar a otro y que
debe muchas vidas.

ASÍ ACABAREMOS EL DÍA DE LA CHINGADA

Expresión que responde a observaciones que se hacen a un trabajo y es necesario volver a empezar.

ASÍ LLEGAREMOS EL DÍA DE LA CHINGADA

En un viaje cuando se hacen paradas en cada pueblo por cosas sin importancia.

ASÍ ME CASABA PURA CHINGADA

Comentario que se hace por estimar que el novio acepta que los padres de la novia le regalen:
—Una casa bien amueblada.
—Una cuenta de cheques en un Banco con un millón.
—Viaje de novios pagado.
—Un coche nuevo.
—Un puesto con buen sueldo en los negocios del suegro.

ASÍ ME CHINGUÉ YO TAMBIÉN

Comentario que se hace cuando un joven empieza a trabajar en una labor muy pesada.

¿ASÍ POR QUÉ CHINGADOS NO TE CASABAS?

Porque el pobre marido va a estar como arrimado y no va a poder hacer nada, porque pierde su libertad.

ASÍ ¿QUIÉN CHINGADOS LO HACE?

Pregunta que responde a una exigencia en el trabajo que debe ejecutarse con esmero y cuidado.

ASÍ SE LO VA A LLEVAR LA CHINGADA

Comentario que se hace:
—Cuando un médico cura a un enfermo sin mayor esmero.
—Cuando un coche no se cuida como es debido.
—Cuando un muchacho anda como loco corriendo por las carreteras.
—Cuando el trabajo que se está haciendo en el campo no es el correcto y sufrirán las plantas.
—Cuando al becerro no lo dejan mamar el tiempo necesario.

—Cuando se comenta que un comerciante abandona su negocio en manos de los empleados.

—Cuando un comerciante fía sin mayor cuidado.

—Cuando un comerciante vende demasiado barato y apenas saca los gastos.

—Cuando un político no hace mayor caso de las instrucciones que recibe de "arriba".

—Cuando a golpes se quiere sacar una pieza de un motor.

—Cuando una persona no cumple con sus obligaciones.

—Cuando un enfermo no toma las medicinas.

ASÍ YO ME CASABA CHINGO DE VECES

Comentario que se hace a un joven que no sabe lo que es estar supeditado a los caprichos de una mujer.

ÁSPERO COMO LA CHINGADA

Persona que gasta pocas palabras para decir las cosas diciéndolas en forma despectiva.

ATASCADO COMO LA CHINGADA

Persona torpe, atontada, incapaz de hacer algo bien.

ATASCADO HASTA LA CHINGADA

Vehículo metido en el fango del que no puede salir solo.

ATINADO HASTA LA CHINGADA

Persona que anticipa de cómo van a suceder los acontecimientos políticos o de otro género.

A TI TE VA A LLEVAR LA CHINGADA

Sentencia que hace a una persona a otra cuando ve que no trabaja o también:

—Al advertir que se emborracha con frecuencia.

—Al advertir que anda con malas compañías.

—Al advertir que su trabajo es muy pesado para su constitución física.

—Al advertir que no hace cosa de provecho.

—Al enterarse de que se va a casar con una muchacha que no sabe más que pintarse.

—Al ver que el negocio que ha puesto no es de mucho porvenir.

—Al saber que se ha metido en política y carece de
apoyos.

—Al saber que se ha asociado con personas de conducta dudosa.

—Al descubrirse un robo, asesinato u otro delito
los cómplices lo señalan como autor intelectual.

—Al saber que abandona su negocio por andar en
política.

—Al saber que se ha metido en un negocio que no
entiende.

—Al saber que corre demasiado en las carreteras.

—Al saber que anda con una novia y otra y los hermanos de ellas "le tienen ganas".

—Al saber que los hermanos de su novia, le piden
dinero prestado y son "unas mulas".

—Cuando invita a su novia al cine, se hace acompañar por toda la familia.

—Al saber que se va a casar, la novia le exige más
de lo que puede gastar:

—Al saber que trata de competir en política con
poderoso líder.

—Al saber que no se cura de una enfermedad a
pesar de las recomendaciones del médico.

—Al saber que juega con frecuencia.

—Al saber que va hacer un viaje dejando su negocio a la familia de su mujer, etc., etc.

A TODOS SE LOS LLEVÓ LA CHINGADA

Tiene diversas aplicaciones:

—En la volcadura de un autobús todos murieron.

—Cuando en un combate murieron todos los bandidos o también todos los que los perseguían.

—Cuando en el descarrilamiento de un tren murieron todos los pasajeros.

—Cuando en el derrumbe de una casa murieron todos los que en ella habitaban.

—Cuando a todos los perjudicó la sequía y perdieron las cosechas.

—Cuando en el juego de gallos todos los de un bando perdieron "viejo".

—Cuando en el derrumbe de una mina todos los trabajadores quedaron sepultados.

—Cuando en el hundimiento de un barco todos perecieron.

—Cuando una tromba arrasa un pueblo y mueren todos.

A TODOS SE LOS VA A LLEVAR LA CHINGADA

Se aplica en diversas ocasiones. Veamos:

—Al comentar el mal estado de los cultivos con cuyos rendimientos no alcanzan a sacar los costos.

—Cuando en el mercado mundial bajan los precios y estos afectan a muchas gentes.

—En una epidemia están afectados todos los del pueblo y no hay medicinas.

—Cuando la creciente de un río está amenazando un pueblo y siguen subiendo los niveles de agua.

—En el derrumbe de una mina no hay manera de escarbar y salvar a los que en ella quedaron embotellados.

—En un incendio cuando éste se inició en el primer piso y los de ariba no tienen manera de salir.

—En un pleito entre familias todos van a salir perdiendo, etc., etc.

ATRAVESADO COMO LA CHINGADA

Persona que no titubea para enfrentarse a cualquier situación y en cualquier momento.

AVAL CHINGÓN

Persona que responde por otro, pero que exige no sólo garantías sino también otros beneficios personales.

AVANZA A LO "JIJO" DE LA CHINGADA

Tiene diversas aplicaciones. Veamos:

—Cuando en una carrera un caballo avanza mucho.

—Un tractor de cultivos hace mucho trabajo.

—Una persona muy hábil logra terminar su trabajo en poco tiempo.

—Una lancha que navega con mucha rapidez.

—Un avión que surca los espacios alcanzando en poco tiempo grandes distancias.

—En la natación una persona que avanza mucho.

—Un coche que corre mucho.

—Una máquina logra el trabajo de muchos operarios, etc., etc.

AVERIGUA A LO CHINGADO

Persona que discute tenga o no razón. También, persona que discute por discutir o por llevar la contraria a otro.

Se dice también, cuando una persona investiga a fondo todo lo que se propone, en cualquier asunto.

AVERIGUATAS A LO "JIJO" DE LA CHINGADA

En un grupo de gentes discusiones y más discusiones sin que lleguen a un acuerdo.

AVERIGUASTE PURA CHINGADA

Da a entender que una investigación encomendada no fue llevada a efecto.

AVERIGÜÉ TUS CHINGADERAS

Es un decir que se aplica en muchos casos:
—Un policía que logra saber las fechorías que ha
cometido un delincuente.
—Un padre al decir a su hijo sus pocos recomenda-
bles actos, etc., etc.

A VER QUIÉN ES EL QUE CHINGA

Tiene diversas aplicaciones. Veamos:
—Al investigar quién es el que está robando en una
fábrica, taller, almacén, oficina, etc., etc.
—Cuando no se sabe quén recibirá un premio entre
los trabajadores más significados.
—En una competencia de cualquier género quién
es el que va a ganar la medalla de oro.
—Cuando no se sabe quién va a recibir la herencia.
—En el juego del "palo encebado" quién va a ser
el que logre alcanzar los premios, colocados en
la punta, etc., etc.

A VER QUIÉN ES EL QUE SE CHINGA

Esta frase se usa en muchos casos. Veamos:
—Cuando no se sabe quién va a hacer un trabajo
que ha quedado pendiente.
—Cuando no se sabe quién va a quedar de velador.
—A sacar una persona que se está ahogando.
—A limpiar la calle, el caño, cuando se vive en
vecindad.
—En un grupo que va de viaje en un auto y se aca-
ba la gasolina, teniéndola que traer de lejos.
—A pagar las copas cuando no se ha decidido.
—A levantar los bultos que han caído en la bodega.
—A pagar los daños y perjuicios causados en un
choque.
—En un club a cumplimentar una comisión enco-
mendada por las autoridades, etc., etc.

A VER TUS CHINGADERAS

Se dice en varios casos. Veamos:

—Cuando una persona insiste a otra vea lo que hizo.

—A un viajero que insiste vean las muestras.

—A un amigo que insiste vea lo que ha comprado,
etc., etc.

BABA CHINGONA

Expresión de un ranchero al observar que la vaca babea bien.

BABEA COMO LA CHINGADA

Niño que babea mucho.

BACILADA CHINGONA

Término muy usado. Ejemplos:
—Cuando en la fiesta hubo muchachas que no se andaban con melindres.
—Cuando un grupo corrió una parranda monumental.
—Cuando en Acapulco encontraron muchachas que le entraron al "guateque".
—Cuando a un amigo lo engañaron hábilmente, etc., etc.

BAHÍA CHINGONA

Expresión de un visitante de Alvarado, Ver., al visitar Acapulco.

BAILE CHINGÓN

Comentario que se hace cuando un baile ha sido un un éxito.

BAJADA DE LA CHINGADA

En una carretera una bajada peligrosa.

BAJADA DE LA CHINGADA

Se aplica cuando en el mercado los precios han bajado.

También cuando el avión al pasar por una "bolsa" baja muy sensiblemente, causando alarma en el pasaje.

BALANCE CHINGÓN

El que presentan los comerciantes a los Bancos para lograr mayor préstamo.

BÁLSAMO CHINGÓN

Medicina que quita los dolores cuando se ha tenido un golpe muy grave.

BANCA CHINGONA

Asiento muy cómodo o también muy incómodo.

BANCO CHINGÓN

El que sólo presta al que tiene dinero y garantiza bajo severas condiciones.

BANDA CHINGONA

Tiene diversas aplicaciones:

—La de un carro o máquina que soporta mucho tiempo de servicios.

—La de música que tiene mucha fama.

—La de una máquina que si se descuidan puede causar la muerte.

BANDO CHINGÓN

El publicado por autoridades municipales con tendencia a meter en cintura a las gentes de un pueblo.

BANQUETERO COMO LA CHINGADA

Tiene diversas interpretaciones. Veamos:

—Persona que no deja de asistir a cuanto banquete lo invitan y a veces aunque no lo inviten se mete.

—Persona que siempre anda paseando por las banquetas de la ciudad o población.

BARAJA CHINGONA

Naipe que está marcado y por eso el que no lo sepa al jugar con ella siempre pierde.

BARBA CHINGONA

El decir de un peluquero al cliente que la tiene muy cerrada y dura.

BARBERO COMO LA CHINGADA

Persona que adula a los grandes políticos o comerciantes y banqueros.

BARBERO CHINGÓN

Peluquero muy hábil y que conoce su oficio a maravilla.

BARCA CHINGONA

Tiene diversas aplicaciones. Veamos:
—La que sortea sin mucho movimiento el empuje de las olas.
—La que es peligrosa cuando el mar está picado.

BARCO CHINGÓN

Nave muy grande y hermosa. También que tiene mucha capacidad.

BARDA CHINGONA

Una pared muy alta y es difícil poder escalarla.

BARRA CHINGONA

Barra que soporta muchas horas de trabajo sin necesidad de arreglarla.

BARRIAL DE LA CHINGADA

Lugar donde el paso es difícil por el barro que impide el tránsito, por lo fangoso del terreno.

BARRIGÓN COMO LA CHINGADA

Persona que tiene una panza descomunal.

BARRIO CHINGÓN

Tiene varias interpretaciones. Veamos:

—Barrio residencial de los potentados.

—Barrio donde de noche es peligroso andar.

BARROSO COMO LA CHINGADA

Se aplica a diversas interpretaciones. Ejemplos:

—Un camino donde a cada paso hay charcos lodosos.

—Una persona que tiene erupciones en la cara.

BÁSCULA CHINGONA

Báscula que cuando el comerciante compra pesa de menos y cuando vende pesa de más.

BASTA DE CHINGADERAS

Expresión de una autoridad cuando los trastornos en el pueblo han llegado a las altas autoridades.

BATEA CHINGONA

Recipiente de madera muy hermoso y grande.

BATIDA DE LA CHINGADA

Acción efectiva de la tropa cuando han perseguido a los bandidos.

También se dice cuando un postre requiere batirlo muy bien.

BEBEDOR COMO LA CHINGADA

Persona que bebe mucho, en demasía.

BEBIDA CHINGONA

Licor o vino muy suave pero que emborracha fácilmente.

Se aplica también cuando el vino es de calidad.

BECERRO CHINGÓN

Becerro que pinta muy bien para ser un buen semental.

También cuando tiene pinta para ser un buen toro de lidia.

BESTIA "JIJA" DE LA CHINGADA

Expresión cuando un caballo, un macho o una mula no se deja ensillar.
También cuando no se deja que la monte el jinete.
Asimismo cuando no obedece la rienda.

BIEN QUE LA CHINGARON

Se dice cuando un grupo de gentes estuvieron molestando en una fiesta cualquiera.
También el comentario de un padre de familia que tiene hijas casaderas y toda la noche les estuvieron dando serenata.
Asimismo, cuando un grupo de trabajadores no hizo el trabajo como era debido y a su tiempo.

BIEN QUE SE CHINGÓ

Un decir cuando un trabajador trabajó con esmero o también en caso de un incendio el que se expuso al sofocarlo, o en una creciente salvó vidas, etc.

BLANCO COMO LA CHINGADA

El vestido de una novia.
Como también el que palideció al darle una mala noticia.
Asimismo, cuando a una persona la amenazan de muerte.

BOCA "JIJA" DE LA CHINGADA

Al referirse a una persona que es muy mal hablada.
También al referirse al que es chismoso.

BODEGA CHINGONA

El comerciante que tiene amplios almacenes.

BODEGA DE LA CHINGADA

Al tratarse de un local en muy mal estado, destartalado.

BOLA DE LA CHINGADA

Se dice cuando en un festival hay mucha gente pero sin orden ninguno.

BOMBA CHINGONA

La bomba atómica.

También se dice de una bomba de agua que presta muy buen servicio, que es de calidad.

BONITA CHINGADERA

Tiene diversas aplicaciones. Veamos:

—Cuando una cosa es muy bonita.

—Cuando se expresa como exclamación:

Un enredo que va traer consecuencias funestas.

Entre bandidos cuando se ha ejecutado una acción con buenos resultados.

BONITA CHINGADERA HICISTE

Exclamación de un padre al llegar su hijo, cuando sabe que mató a una persona, o también:

Cuando corriendo con el caballo no supo brincar la cerca y le rompió una pata.

Asimismo, cuando le comenta que sabe se peleó con el hijo del gobernador.

También cuando supo que jugó lo que no era suyo, etc., etc.

BONITA CHINGADERA LE HICIERON

Tiene semejanzas con la frase anterior. Veamos casos:

—Cuando dejaron la puerta del corral abierta y salieron todos los animales.

—Cuando en vez de ir a trabajar no hicieron el trabajo.

—Cuando en vez de vender la vaca vieja vendieron la que da más leche.

—Cuando en vez de hacer lo que urgía hicieron otra cosa, etc., etc.

BONITA CHINGADERA ME HICIERON
Cuando a una persona le han hecho una mala jugada.

BONITA CHINGADERA ME TRAES
Se aplica de diversos modos. Ejemplos:
—Cuando en verdad es algo muy apreciable.
—Cuando es una cosa que no sirve para nada.

BUEN "JIJO" DE LA CHINGADA ESTÁ HECHO
Comentario que se hace al referirse a una persona
que vive del robo o haciendo otras fechorías.

**BUENO QUE CHINGUEN PERO
NO CON CHINGADERAS**
Comentario del jefe de familia a sus hijos cuando
sabe que han ganado dinero de malas artes.

BORDO CHINGÓN
El canal que conduce el agua en forma que no se
desperdicie o se vaya por otra parte.

BORRACHERA DE LA CHINGADA
Bacanal donde todos bebieron hasta más no poder.

BORRACHO COMO LA CHINGADA
Se dice en varios casos. Ejemplos:
—Cuando una persona se emborracha todos los días.
—Cuando una persona ha tomado mucho y va por
las calles deteniéndose con las paredes, volteando
en cada esquina hasta que por fin al no llegar a su
casa queda rendido en el umbral de una puerta.

BOTA EL DINERO A LA PURA CHINGADERA
Persona que dilapida el dinero sin cuidado.

BOTANA CHINGONA
Bocadillo sabroso como para entretener el hambre
que dan en algunas cantinas y que hace que aumen-
te la clientela.

BRAGADO COMO LA CHINGADA

Persona que se enfrenta con firmeza ante cualquier situación.

BRAVO COMO LA CHINGADA

Persona valiente y de mucho arrojo y se enfrenta ante cualquiera.

BRAZO CHINGÓN

El que disfruta una persona con el cual maneja bien la reata de lazar y de un golpe tumba a cualquiera.

BRIGADA CHINGONA

Grupo de soldados valientes y esforzados ante cualquier situación.

BRIGADA DE LA CHINGADA

Brigada de soldados mal vestidos y peor armados que no sirve ni para hacerla de policías.

BRISA CHINGONA

Tiene diversas aplicaciones. Veamos:

—Aire fresco y agradable.

—La brisa que impulsa muy bien los barcos de vela.

—La que es anuncio de un fuerte vendaval, porque cambia con tal frecuencia que hace peligrar la navegación.

BROMA DE LA CHINGADA

Broma muy pesada y que trajo consecuencias funestas.

BRONCA DE LA CHINGADA

Alboroto entre jefes y obreros de una fábrica donde hubo gritos e imprecaciones.

Puede ser aplicada también a un alboroto habído en una cantina sin llegar a darse de golpes los contrincantes.

BRUMA DE LA CHINGADA

Niebla espesa que no permite andar en una carretera ni navegar en el mar. Puede darse el caso que también se registre en una ciudad o población.

BRUTO COMO LA CHINGADA

Persona torpe a todo entendimiento. También se aplica a persona que rompe las cosas a lo tonto.

BUENO COMO LA CHINGADA

Tiene diversas aplicaciones. Ejemplos:

—Al referirse a una persona que es bondadosa.

—Al tratarse de un animal de labranza. Un buey.

—Al referirse a un caballo que corre mucho y no se asolea.

—A un medicamento que cura rápidamente.

—A un profesionista, sea abogado, ingeniero, médico, etc., etc., que conoce a fondo su profesión.

BUEY CHINGÓN

El que es bueno y resistente para el trabajo.

BUFA COMO LA CHINGADA

Tiene diversas interpretaciones. Ejemplos:

—El tren de vapor cuando arranca o sube con dificultad una pendiente.

—El caimán cuando lo lazan para sacarlo vivo.

—Una persona gruesa cuando está enojada. Está que bufa.

BUQUE CHINGÓN

Nave de grandes proporciones que cruza los mares sin temor a las grandes tormentas.

BURLA DE LA CHINGADA

Reirse de una persona. Mofarse de ella.

BÚSQUEDA DE LA CHINGADA

El hecho de andar tras de una cosa y no se encuentra por ninguna parte.

Se aplica también:

—A un ladrón que se escondió y no lo encuentran.

—En un archivo papeles extraviados.

—Una medicina en todas las boticas.

—Al hijo que salió a la calle y al no regresar lo buscan por todas partes.

—A una res que se extravió en el monte.

—A una persona que se perdió en la ciudad.

—Un billete que se perdió de la cómoda, cuando la mujer dice que allí estaba.

—A una joven que se fue al cine y no regresa.

—Un tornillo que se perdió en el taller y no lo encuentran.

—Un avión que cayó en la sierra y no lo localizan, etc., etc.

BUZO CHINGÓN

El buzo que alcanza profundidades y soporta mucho tiempo en su trabajo, sea cual fuere.

CABAL COMO LA CHINGADA

Se aplica:

—Al referirse a persona equilibrada en todos sus actos, formal y honrada, seria y circunspecta.

—El decir de los tenderos al referirse a los artículos que pesan o miden.

—Comentario que se hace cuando una persona está entregando cuentas y dineros y todo sale bien.

CABALLO CHINGÓN

Caballo de fina estampa, bueno para las carreras, bueno para bailar, bueno para la mangana y para el arreo del ganado.

CABEZA DE LA CHINGADA

Persona que es necia o no entiende lo que se le ordena.

CABEZON COMO LA CHINGADA

Ser humano que tiene la cabeza muy grande. Se aplica también a los animales.

CABRA CHINGONA

Animal que rinde mucha leche y al mismo tiempo es paridora.

CABRESTEAS O TE CHINGAS

Se dice también: "Cabresteas o te horcas". Frase

ranchera cuando están domando a las bestias de montar. Es la ley de la gringa.

CABECEA COMO LA CHINGADA

Caballo muy airoso en el andar moviendo la cabeza. A los rancheros, no les gustan estos caballos en el trabajo.

CABRÓN COMO LA CHINGADA

Persona de mala índole en todos sentidos.

CABRÓN DE LA CHINGADA

Persona sin oficio ni beneficio que anda siempre buscando la forma de vivir "de gorra".

CACIQUE CHINGÓN

Se interperta de varias formas según el caso.
—Cuando el cacique es mandón, egoísta y que explota a las gentes.
—Cuando por el contrario, es bondadoso, con mucho don de gentes.

CADERA CHINGONA

La que muchas mujeres ostentan apretando la cintura. Una hermosa cadena de oro, bien por lo grueso de sus eslabones, bien por lo fino en su trabajo.

CADETE CHINGÓN

Oficial del ejército o de la marina, muy aplicado, muy cumplido, muy apuesto.

CAJERO CHINGÓN

Cajero al que ni le sobra ni le falta nunca un centavo al formular el arqueo.
Se dice también, al que hace sus "arreglos" para que siempre le sobre dinero.

CALABAZA CHINGONA

Calabaza muy grande y de calidad.

CALADA CHINGONA

Someter a una persona a un estudio de su persona-
nalidad, su fondo, su intenciones. Sicoanálisis.

CALAVERADA DE LA CHINGADA

Acción de una o más personas que merece reproba-
ción por tratarse de algo poco honorable.

CALAVERA DE LA CHINGADA

Hombre perdido moralmente.

CALCULADOR COMO LA CHINGADA

Persona que piensa antes de hacer las cosas.
También la persona que piensa qué ventajas puede
sacar de otros.

CALDO CHINGÓN

Caldo muy bien preparado y muy sabroso.

CALENTURA DE LA CHINGADA

Fiebre muy alta en un paciente.

CALIENTE COMO LA CHINGADA

Se puede referir, a una comida, a un motor, al
agua, al clima, a una mujer, al ambiente, etc., etc.

CALMADO COMO LA CHINGADA

Una persona que ni se aflige ni se afloja por nada
y procede en sus actividades sin prisa ninguna.

CALOR CHINGÓN

Temperatura alta que agota, ataranta, que anonada.

CALOR DE LA CHINGADA

El que se registra en el trópico en lugares de bajo
nivel con respecto al mar.
Se dice también, cuando en un local se reúne mucha gente y no hay la necesaria ventilación.

CALZADA DE LA CHINGADA

Camino empedrado que se encuentra en malas condiciones para el tránsito.

CALLADO COMO LA CHINGADA

Persona que en una reunión no habla con nadie y sólo observa.

CALLEJÓN DE LA CHINGADA

Paso estrecho, sucio, mal oliente y de pésimo piso.

CAMA CHINGONA

Se dice de una buena cama, con buen colchón, amplia y bien aderezada.

CAMINATA DE LA CHINGADA

Se dice, cuando después de dejar el auto es necesario andar muchas cuadras de mal piso o también cuando en el campo hay que andar muchos kilótros para llegar a pie a un lugar.

CAMINO DE LA CHINGADA

Se dice, cuando es estrecho, sinuoso, de subidas y bajadas y con peñas o piedras en el piso.

CAMISA CHINGONA

Camisa que mucho viste y es muy buena.

CAMISA DE LA CHINGADA

Camisa que está rota, mal planchada y peor cosida.

CANASTA CHINGONA

Canasta que emplean las mujeres para ir al mercado, muy amplia y bonita.

CANIJO COMO LA CHINGADA

Persona que es maliciosa y mal intencionada.

CANTA COMO LA CHINGADA

Persona que canta admirablemente.

CANTA DE LA CHINGADA

Persona que canta pésimamente, que no modula la voz y desentona.

CANTA A LO "JIJO" DE LA CHINGADA

Persona que canta mucho y variado sin cansarse.

CANTA PURAS CHINGADERAS

Persona que canta babosadas y que a nadie agradan.

CAÑONAZO DE LA CHINGADA

Disparo de mucho estruendo que causa espanto a las gentes.

CAPA CHINGONAMENTE

Persona muy capaz de cortar los órganos genitales al toro o al gallo, al guajolote, etc., etc.

CAPITÁN CHINGÓN

Oficial que sabe mandar a la tropa con energía y sabe darse a respetar.

CARA DE LA CHINGADA

Persona que tiene una faz que espanta a los niños y aun a personas mayores cuando la luz es escasa.

CARAVANEA COMO LA CHINGADA

Persona que hace muchas reverencias cuando está hablando con personas de mayor categoría y aun con iguales.

CÁRCEL DE LA CHINGADA

Calabozo lóbrego, húmedo, sin luz ni aire.

CARABINA CHINGONA

Arma de fuego de calidad y de tiro certero.

CARIÑOSO COMO LA CHINGADA

Persona que manifiesta mucho afecto en el hablar y hace caricias a los niños y a veces a las niñas mayores.

CARNE CHINGONA

Carne de calidad.

CARNE DE LA CHINGADA

Carne de pésima calidad o en mal estado.

CARNICERO CHINGÓN

Tiene varias interpretaciones. Ejemplos:
—El que sabe cortar la carne.
—El que vende ¾ por un kilo.

CARO COMO LA CHINGADA

El artículo que tiene un precio elevadísimo.
Se dice también, del comerciante que vende muy
caro.

CASA CHINGONA

Edificio hermoso, bien acondicionado para vivir cómodamente, que cuenta con salas espaciosas.

CASA DE LA CHINGADA

Casucha en mal estado, desordenada, sin comodidad
ni servicios.

CASTILLO CHINGÓN

Nota: En los pueblos llaman castillo a los fuegos
artificiales. Por eso acostumbran decir que el castillo estuvo chingón cuando los fuegos pirotécnicos
resultaron muy vistosos y duraron mucho tiempo.
Castillo de cuatro pisos.
Tratándose de un castillo edificio, como el de Cha-
pultepec, es un castillo chingón, por lo grande, por
lo hermoso, etc., etc.

CATAPLASMA DE LA CHINGADA

Masa compuesta de hierbas curativas, que se aplica
a los que están mal del pecho y a los contusos.

CATARRO DE LA CHINGADA

Cuando una persona tiene abundante mucosidad en

las narices y estornuda con frecuencia. Se dice también, cuando este padecimiento persiste y es fuerte, causando calentura.

CATÓLICO HASTA LA CHINGADA

Se dice del creyente que es firme en sus convicciones a pesar de todas las vicisitudes de la vida. Capaz de dejarse matar si es preciso.

CAUTÍN CHINGÓN

Aparato que usan los hojalateros y es de buena calidad, también lo usan los dentistas.

CAUTÍN DE LA CHINGADA

Cuando este aparato está ya quemado y no mantiene el calor.

CEBADO HASTA LA CHINGADA

Se dice cuando un ser está bien comido.

CEJUDO COMO LA CHINGADA

Persona que tiene las cejas muy pobladas y grandes. Se dice también cuando una persona arruga las entrecejas y su mirar es adusto.

CELOSO COMO LA CHINGADA

Persona que desconfía hasta de su sombra, no digamos de su mujer. Se dice también, cuando una persona se preocupa por cumplir con su deber concienzudamente.

CENA CHINGONA

Es aquella que ha sido preparada para satisfacer el gusto más exigente; además se dice también, cuando es muy variada y abundante. En ambos casos rociadas con buenos vinos.

CENA DE LA CHINGADA

Es aquella que está mal hecha, escasa y desabrida.

CENTRADO COMO LA CHINGADA

La pieza que debe quedar estrictametne al centro,
ya sea de una máquina, de un salón, etc., etc.

CEÑIDO COMO LA CHINGADA

Ajustado a más no poder como la faja de las mujeres
para disimular su obesidad, etc., etc.

CEREMONIOSO COMO LA CHINGADA

Para referirse a los locutores de televisión que hacen mil movimientos.

También se dice de personas que hacen muchos cum-
plimientos de palabra y movimientos con el cuerpo
doblándolo cuando saludan o se despiden, haciendo
lo propio con los brazos.

CERRADO COMO LA CHINGADA

Para referirse a persona que no aprende nada de
nada.

Se dice también de un lugar totalmente cerrado a
piedra y lodo. Casa cerrada totalmente en puertas
y ventanas.

CIEGO COMO LA CHINGADA

Persona que no ve nada. Se dice también, de las
personas que no advierten lo que sucede en la oficina,
en la casa, en la fábrica cuando tienen responsabilidad.

CIÉNEGA CHINGONA

Laguna fangosa y que es peligroso entrar en ella
tanto los animales como las personas.

CIGARRO CHINGADO

Se dice cuando el fumar le perjudica en su salud.

CINCHO CHINGÓN

Cuando es bien tejido y no afloja cuando se usa.

CINCHADO HASTA LA CHINGADA

Bulto o paquete asegurado con cintas de fierro o acerro.

CIRCO CHINGÓN

Cuando el espectáculo que presentan es bueno.

CIRIO CHINGÓN

Una vela gruesa y larga de buena cera.

CIRUELAR CHINGÓN

Terreno donde hay muchos ciruelos de calidad.

CIRUELA CHINGONA

Ciruela de buena calidad y sabrosa.

CLARIDOSA COMO LA CHINGADA

Mujer que no tiene pelos en la lengua para decir todo lo que se le antoja, lo que debe y lo que no debe.

CLARIDOSO COMO LA CHINGADA

Hombre que no dice las cosas a medias como vulgarmente se dice "a medios chiles".

Se aplica también a la autoridad que indica las ordenanzas en forma precisa, concisa y clara.

También al jefe de personal que no anda con medias tintas al expresarse.

COBRADOR CHINGÓN

Persona eficaz para cobrar a los deudores. Persona que sabe hacer cumplir los compromisos a las gentes.

COBRA A LO JIJO DE LA CHINGADA

Recaudador oficial o de institución privada que no deja títere con cabeza para cobrarles lo que deben pagar. Tiene otras aplicaciones. Veamos:

—Comerciante que cobra los efectos a precios altos. Profesionista que es muy elevado en sus honorarios.

COCINA CHINGONA

Cocina amplia y bien acondicionada de todo lo necesario.

COCINA CHINGONAMENTE

Persona que sabe preparar bien y sabrosas las comidas.

COCINA DE LA CHINGADA

Tiene varias interpretaciones. Veamos:
—Al referirse a persona que no sabe preparar la comida.
—Al referirse al local mal acondicionado, mísero, sin cazuelas ni vajillas y apenas hay un fogón.

COCHE CHINGÓN

Auto hermoso, bueno, con aire acondicionado, de buen motor y potente, etc., etc.

COCHE DE LA CHINGADA

Una carcacha vieja que anda de milagro.

COCHINO COMO LA CHINGADA

Persona sucia tanto de su cuerpo como de alma. Se dice para precisar cuando una persona carece de moral en sus tratos con las gentes.

CODO COMO LA CHINGADA

Persona que no da agua ni al gallo de la pasión; se dice de aquélla que no gasta más que lo indispensable para comer y ni usa calzoncillos. Incapaz de dar un centavo a un pobre.

COLEA COMO LA CHINGADA

Coche mal ajustado en la dirección en correlación con las ruedas.
Caballo que mueve la cola azotándose el cuerpo para espantar las moscas.

COLCHÓN CHINGÓN

El que cuentan algunas camas y es muy suave y cómodo.

COLLAR CHINGÓN

Collar de alto valor, hecho con primor, sea de perlas, de oro o de platino.

COLÓN DE LA CHINGADA

Columna de personas esperando la entrada a un lugar, sea en el cine, en el foot ball, en las carnicerías, el día de las elecciones, etc., etc.

COMBATE DE LA CHINGADA

Tiene diversas aplicaciones. Ejemplos:
—Cuando la comida que se da a los trabajadores al terminar las labores agrícolas en el rancho, fue buena.
—Cuando ha habido una lucha a muerte entre dos bandos.
—Cuando han combatido los soldados con los bandidos.

COME A LO "JIJO" DE LA CHINGADA

Persona que come mucho. Por otra parte es usual decir cuando el médico pregunta si el enfermo come y se le responde.

COMEDERA A LO "JIJO" DE LA CHINGADA

Se dice cuando en una fiesta hay comida en abundancia y surtida.

COMEDIDO COMO LA CHINGADA

Persona atenta con los demás y ayuda en todo. Asimismo la persona que es muy arreglada en sus cosas, en su manera de vivir, etc., etc.

COMERCIO CHINGÓN

Tiene diversas aplicaciones. Veamos:

—Cuando el establecimiento comercial es grande.

—Cuando es lugar donde no pesan ni miden bien.

—Cuando el movimiento comercial en una plaza es de consideración.

CÓMICO CHINGÓN

El buen artista de teatro, cine, circo, etc., etc.

COMIDERAS A LO JIJO DE LA CHINGADA

En una feria o pueblo hay muchos "puestos" donde se puede comer.

COMISARIO CHINGÓN

El que abusa de su puesto.

También el que es muy capaz y sabe organizar el ejido.

Igualmente el comisario ejidal que hace y deshace y cobra tributos sin recibos sellados.

COMISARIO. EL MERO CHINGÓN DEL EJIDO

El que dispone de mayor autoridad en el ejido.

COMITÉ CHINGÓN

Palabrita que trajeron los franceses en tiempos de Maximiliano. Se dice cuando un grupo de personas cumple una comisión a satisfacción de todos. Por otra parte han sacado provecho personal.

¡COMO UNA CHINGADA!

Expresión cuando una persona está disgustada.

—¿Cuándo terminas el trabajo?

—¿Cuándo chingados se vienen?

—¿Cuándo chingados se van?

—¿Cuándo chingados acaban?

—¿Cuándo chingados van a arreglar el coche?

—¿Cuándo chingados irá a llover?

—¿Cuando chingados terminará de llover?, etc., etc.

COMPAÑERO CHINGÓN

Tiene diversas aplicaciones. Ejemplos:

—Cuando el compañero de viaje o trabajo nos molesta o nos pide "se le gorree" algo.

—Cuando el compañero de trabajo o viaje nos ayuda en todo lo necesario, nos aconseja, etc., etc.

COMPAÑÍA CHINGONA

Tiene diversas interpretaciones. Ejemplos:

—Una empresa que poco favorece a los trabajadores.

—Cuando se trata de una empresa muy importante.

—Cuando en un viaje nos toca de compañero o compañera una personalidad o una hermosa mujer.

¿CÓMO "JIJOS" DE LA CHINGADA QUIERES QUE ME CASE?

Respuestas:

—Si todavía la novia no ha dicho que sí.

—Si lo que gano no me alcanza "p'a mí".

—Si primero tienen que "leer" las amonestaciones.

—Si la ropa de la novia cuesta "un chinguero", etc.

etc.

¿CÓMO "JIJOS" DE LA CHINGADA QUIERES QUE TE PAGUE?

Respuestas:

—Si lo que hiciste está mal hecho.

—Si la compostura que hiciste no sirvió.

—Si la mercancía que me fiaste está podrida.

—Si me enfermé y no tengo dinero (raya).

—Si la cosecha no sirvió.

—Si todavía no me pagan la raya, etc., etc.

¿CÓMO "JIJOS" DE LA CHINGADA QUIEREN QUE TRABAJE?

Pregunta que tiene varias respuestas:

—Si no tengo dinero para comprar materiales.

—Si todavía no me alivio.

—Si todavía no encuentro dónde.

—Si no tengo ropa adecuada.

—Si todavía el jefe no quiere que vaya.

—Si todavía no han arreglado la máquina, etc., etc.

COMPASIVO COMO LA CHINGADA

Persona que es caritativa y ayuda a las gentes.

COMPETENCIA DE LA CHINGADA

Comentario de un comerciante cuando los competidores afinan y afinan los precios de sus tiendas.

COMPONEDOR COMO LA CHINGADA

Tiene diversas interpretaciones. Ejemplos:

—Persona que es capaz de arreglar toda clase de aparatos.

—Persona capaz de componer los huesos, etc., etc.

COMPRA A LO JIJO DE LA CHINGADA

Comerciante al por mayor. Asimismo, compra todo lo que le llevan.

COMPROMETIDO HASTA LA CHINGADA

Persona que tiene muchos compromisos, sean sociales, comerciales, oficiales, etc,. etc.

Se dice también, cuando un joven está comprometido en matrimonio sin forma de "rajarse".

COMPROMISOS A LO "JIJO" DE LA CHINGADA

Persona que debe a medio mundo.

CONCESIÓN CHINGONA

Beneficio otorgado a una persona o empresa, que reporta muchas ganancias.

CONCESIÓN DE LA CHINGADA

Cesión que no otorga más que dificultades.

CONDICIÓN DE LA CHINGADA

Persona cuyos procedimientos no son nada honorables.

CONDICIONES DE LA CHINGADA

Tiene diversas aplicaciones. Ejemplos:
—Cuando una persona está muy mal de salud.
—Cuando una persona está políticamente mal.
—Cuando se le ha entregado a una persona:
Una casa en muy mal estado.
Un negocio casi en quiebra.
Un camión en pésimo estado.
Taxativas que no aseguran libertad de trabajo,
etc., etc.

CONFIADO COMO LA CHINGADA

Tiene varias facetas:
—El que se cree seguro de sí mismo.
—El que con ligereza confía en los demás.
—El confiado a que el carro está bien, etc., etc.

CONFUSIÓN DE LA CHINGADA

Desorden, desorganización entre los trabajadores que no saben a qué atenerse, lo mismo entre familias.
Se dice también:
—Cuando en los centros políticos no saben a qué atenerse.
—Cuando fallece un principal y los segundones no saben qué hacer. Lo mismo entre las familias.
—En un incendio registrado en un gran edificio y no saben por dónde salir.
—En un mitin cuando no se ponen de acuerdo, etc., etc.

CONOCE COMO LA CHINGADA

Persona que sabe de todas todas, lo que le conviene y lo que no le conviene. Muy capaz en todo.

CONSEJERO CHINGÓN

Persona muy competente que sabe orientar a otros en casos difíciles.

CONTENTO COMO LA CHINGADA
Persona que está muy satisfecha de la vida.

CONTRABANDISTA CHINGÓN
Persona que sabe introducir mercancías de contrabando sin llamar la atención del fisco o de los inspectores.

CONTRIBUCIÓN CHINGONA
Tributo excesivo en circunstancias de crisis económica.

CONVENENCIERO COMO LA CHINGADA
Persona que no hace un servicio si no le reporta alguna ventaja económica.

CONVIDADO CHINGÓN
Persona principal que se recibe con muchos miramientos, con muchas atenciones y respeto.

COPLERO CHINGÓN
Persona que versifica al vuelo con doble sentido.

COQUETA COMO LA CHINGADA
Mujer que "da carita" a unos y otros sin comprometerse con ninguno.

CORNADA DE LA CHINGADA
La recibida de un toro y que es muy profunda o grande.

CORNETA CHINGÓN
El músico que sabe darle alma a las notas y alcanza a tocar sin respirar muchos compases.

CORTA COMO LA CHINGADA
Una sierra, un cuchillo, una hoja de rasurar que con sólo pasar ligeramente corta.

CORTADA DE LA CHINGADA
La que se ha hecho con arma blanca, cuchillo, etc., y que ha causado mucho daño.

CORRAL CHINGÓN

Ranchero que dispone de buen espacio para juntar los animales domésticos.

CORRE COMO LA CHINGADA

Persona que cuando corre no nomás así se alcanza. Se dice también de la liebre, del caballo, de un coche, de un ciclista, etc., etc.

CORRIDA CHINGONA

Cuando la corrida de toros ha sido muy buena.

CORRIDO CHINGÓN

Canción alegre, cuya letra es fiel intérprete de un pueblo, de un personaje, de una epopeya, etc., etc.

CORRIENTE DE LA CHINGADA

Cuando el agua que lleva el río lleva mucha fuerza. También se dice, cuando el servicio de luz es deficiente.

CORRIOSO COMO LA CHINGADA

Las reatas de lazar cuando son buenas, las correas de cuero, las tiras de cables que no tan fácilmente se rompen.

CORVAS CHINGONAS

Las que lucen algunas mujeres.

COSQUILLUDO COMO LA CHINGADA

Persona que con cualquier roce en la espalda siente sensación.

COSTRA DE LA CHINGADA

Cuando sobre una herida se forma una masa seca.

COSTUMBRE CHINGONA

Forma de vida que merece elogios.

COSTUMBRE DE LA CHINGADA

Hábitos que se registran entre familias o pueblos que no responden a nada práctico en la época actual.

CRECE COMO LA CHINGADA

Planta que se desarrolla con rapidez.

CRECIDO COMO LA CHINGADA

Niño que después de algún tiempo se advierte que ha crecido mucho.

CREENCIA DE LA CHINGADA

Supersticiones que se mantienen entre familias y en los pueblos.

CRIADO CHINGÓN (M. o F.)

Servicial, eficaz o también abusivo.

CRIMEN DE LA CHINGADA

Muerte violenta que ha causado sensación en las gentes por la forma en que fue desarrollada.

CRITICA COMO LA CHINGADA

Persona que no le agrada nada de lo que hacen o dicen otras personas.

CRUCERO PELIGROSO COMO LA CHINGADA

Paso que hay que cuidarse por el mucho movimiento de vehículos, en calles, avenidas y en carreteras.

CRUJE COMO LA CHINGADA

El ruido que hacen determinadas telas con el menor roce o también los pisos, las camas que están mal hechas o son muy viejas.

CRUZA CHINGONAMENTE

Semental que mejora la raza del ganado.
También puede referirse a una nave que salva las olas.

CUADRA COMO LA CHINGADA

Se dice cuando una cosa agrada, que encaja bien.

CUADRILLA DE LA CHINGADA

Rancho donde sólo hay unas cuantas chozas.

CUAJA COMO LA CHINGADA

Sustancia que hace cuajar la leche fácilmente.
Se dice también cuando es apropiada una cosa.

¿CUÁNDO CHINGADOS ACABAS?

Pregunta que se hace cuando el trabajo encomendado
lleva ya tiempo.

¿CUÁNDO CHINGADOS DEJARÁ DE LLOVER?

Comentario que hace una persona que está esperando
que deje de llover porque no trae paraguas o impermeable
También los rancheros cuando necesitan atender las
labores del campo.

¿CUÁNDO CHINGADOS IRÁN A COMPONERLO?

Pregunta que hace el dueño de un vehículo.

¿CUÁNDO CHINGADOS LE ATINAS?

Comentario cuando un amigo juega mucho a la
lotería o en el tiro al blanco.

¿CUÁNDO CHINGADOS LES GANAS?

Pregunta comentario cuando los demás son mejores
jugadores, o tienen mejores caballos, mejores bici-
cletas, mejores autos, etc., etc.

¿CUÁNDO CHINGADOS LOS ALCANZAS?

Comentario que se hace cuando otros se le antici-
paron.

¿CUÁNDO CHINGADOS LOS COMPRAS?

Pregunta que hace el tendero que vende zapatos u
otros objetos.

¿CUÁNDO CHINGADOS LOS IGUALAS?

Pregunta comentario cuando los demás están más
preparados.

¿CUÁNDO CHINGADOS LLEGAS EN ESA CARCACHA?

Comentario que se hace cuando el vehículo está viejo
o en malas condiciones.

¿CUÁNDO CHINGADOS ME TRAEN LA COMIDA?

Persona que lleva esperando en un restaurante,
o también en su propia casa.

¿CUÁNDO CHINGADOS SALDRÁ EL CAMIÓN?

Persona que lleva esperando mucho rato en la
parada y el chofer no aparece por ninguna parte.

¿CUÁNDO CHINGADOS TE ALIVIAS?

Pregunta que hace un amigo a otro al visitarlo.

¿CUÁNDO CHINGADOS TE CASAS?

Pregunta que hace una persona a otra que lleva
muchos años de novio de una muchacha.

¿CUÁNDO CHINGADOS VAS A TRABAJAR?

Pregunta que hace el jefe del taller a un trabajador
que lleva rato mirando. También el padre de familia cuando su hijo nomás llega a su casa a comer
y a dormir sin aportar nada para el gasto.

**¿CUÁNDO "JIJOS" DE LA CHINGADA
IRÁ A LLEGAR O IRÁN A LLEGAR?**

Persona que está impaciente por:
—Porque no llegan con el dinero.
—Porque no llega el camión en el que espera a sus
familiares, a los políticos, etc., etc.

¿CUÁNDO "JIJOS" DE LA CHINGADA ME PAGAS?

Impaciencia manifiesta cuando un deudor no paga.

**¿CUÁNDO "JIJOS" DE LA CHINGADA
ME VAS A HACER CASO?**

Pregunta de un padre de familia, de un jefe político o de taller cuando no cumplen sus recomendaciones.

CUARTEADO COMO LA CHINGADA
Edificio que necesita reparación para evitar que se derrumbe.
Se dice también de persona que no sostiene lo que dice.

CUARTEL CHINGÓN
Hermoso edificio construido para la tropa.

CUARTEL DE LA CHINGADA
Edificio que está en mal estado y amenaza caerse.

CUARTO CHINGÓN
Estancia muy bien arreglada.

CUARTO DE LA CHINGADA
Local todo destartalado y sucio, con muebles viejos.

CUCHA CHINGONA
Puerca grande y bien cuidada, que logra muchas crías.

CUCHAREA A LO "JIJO" DE LA CHINGADA
Tiene diversas aplicaciones. Veamos:
—El albañil que trabaja rápido.
—Persona que con la cuchara toma el caldo rápido.

CUCHILLADA DE LA CHINGADA
Herida profunda causada con un cuchillo.

CUCHILLO CHINGÓN
Arma blanca de fino acero. También los que utizan los carniceros y cortan la carne con facilidad.

CUENTA DE LA CHINGADA
La que hacen los tenderos a las amas de casa que no saben sumar, o también:

—La que formulan los abogados para cobrar honorarios.

—La que formulan los contadores con sus libros.

—La que formulan los tesoreros de una institución
para no salir raspados.

—La que formulan en un taller después de arreglar
un coche o una máquina, etc.

—La que presentan al jefe de familia a los pocos
días del día de la madre.

—La que presentan los plomeros después de un
arreglo, etc., etc.

CUENTO CHINGÓN

Relación entretenida y agradable.

CUETE COMO LA CHINGADA

Persona en estado de ebriedad suma.

CUETE DE LA CHINGADA

Lo que se pusieron varios amigos a grado tal, que
los llevaron a su casa "de alita" porque no eran
capaces de ir andando por sí mismos.

CUERA CHINGONA

Especie de abrigo hecho con piel de venado con el
que se cubren para lazar los animales entre los
árboles o arbustos para que no se rompa su ropa.
Esto cuando es bien hecha.

CUERO CHINGÓN

Se dice de aquellas mujeres dotadas de todos los
atributos de la belleza y además de buen cuerpo.
También se aplica, cuando una piel es muy buena.

CUERPO CHINGÓN

Persona que está bien formada y proporcionada.

CUEVA CHINGONA

Concavidad de mucho espacio en un cerro. El de Cacahuamilpa.

CUESTA "JIJA" DE LA CHINGADA

Pendiente muy pronunciada, sinuosa y muy larga. Expresión muy usual entre los choferes de camión cuando no trabaja bien el motor o van muy cargados.

CUIDADOSO COMO LA CHINGADA

Persona que se esmera en vestir, en su trabajo, etc., etc.

CULEA COMO LA CHINGADA

Al referirse a una mujer prostituta.

CULEBRA CHINGONA

Reptil peligroso o muy grande.

CULPABLE COMO LA CHINGADA

Persona que ha cometido un delito grave con todos sus agravantes.

CUMPLIDO COMO LA CHINGADA

Persona que es de palabra y cumple fielmente lo que dice.

CURA A LO "JIJO" DE LA CHINGADA

La mayor expresión de la eficacia de un médico o de una medicina.

CURA COMO LA CHINGADA

Se aplica igualmente cuando se trata de un buen médico o de una medicina.

CURA PURA CHINGADA

Medicina o médico que no sirve.

CURVA CHINGONA

Curva peligrosa que ha causado muchas desgracias.

CURVA "JIJA" DE LA CHINGADA

La misma interpretación que la anterior, pero que requiere mucho cuidado por ser muy cerrada.

CHAMACO CHINGÓN

Joven inteligente, de mucho porvenir, estudioso, etc.

CHAMACO "JIJO" DE LA CHINGADA

Joven travieso que anda suelto por todas partes sin oficio ni beneficio buscando ocasión para hacer maldades.

CHAMARRA CHINGONA

Prenda de vestir que cubre hasta la cintura desde el cuello, que es de muy buena calidad y abriga bien.

CHAMBA CHINGONA

Persona que disfruta de un puesto de buenos honorarios.

CHAMUSCADO COMO LA CHINGADA

Persona que ha sido muy dañada en un incendio. Puede aplicarse también a la carne que se pone a asar en las brasas.

CHANCERO COMO LA CHINGADA

Persona amante de gastar bromas.

CHAPARRO COMO LA CHINGADA

Persona de escasa estatura.

CHARCO DE LA CHINGADA

Lugar donde el camino se interrumpe y es necesario ladear.

CHARRO CHINGÓN

Persona que monta a caballo con porte distinguido y es muy capaz de manejar la reata de lazar, hábilmente.

CHASCO DE LA CHINGADA

Sorpresa de algo que no esperaba. Puede interpretarse también cuando una persona esperaba algo bueno y no fue.

CHATO COMO LA CHINGADA

Persona de nariz muy aplastada.

CHICHONA COMO LA CHINGADA

Mujer que cuenta con un magnífico restaurant infantil.

CHILE CHINGÓN

Cuando es picoso y sabroso como el de Jalapa.

CHILE "JIJO" DE LA CHINGADA

Expresión cuando al morderlo pica con exceso y hace soplar al que lo come.

CHILLA COMO LA CHINGADA

Niño que al llorar grita mucho.
También se dice de aquellas personas que se quejan de las autoridades cuando aplican o suben los impuestos o también aquellos pueblos que se quejan del gobierno hasta cuando llueve mucho o no llueve nada y todo quieren que se les haga sin poner por su parte nada.

CHILLÓN COMO LA CHINGADA

El niño que grita exageradamente por cualquier antojo.

CHINCHOSO COMO LA CHINGADA

Tiene diversas aplicaciones. Veamos:
—Una recámara o lugar donde hay muchas chinches.

—Persona que es entrometida en todo lo que no le importa.

CHINGA

Significa trabajo, labor efectiva, acción, pero tiene otras aplicaciones como vamos a relatar más adelante.

CHINGA...

Aquí vamos a poner unos... signos telegráficos: Ti ti ti ti ti, ti ti; ti ti ti ti ti, ti ti... Algunos choferes lo trasmiten por medio de sus cláxons trayendo a veces pleitos en plena calle. Un chino tradujo así CHAMUNISQUINEIKI SU MAKE.

CHINGADATALES

Cantidades exorbitantes. Abundancia de todo.

CHINGADAZO

Golpe maestro que cuando es en la cara le rompe la quijada.

CHINGADERA

Una cosa o acción mal hecha, con mala intención.

CHINGADERAS

Enredos cualquiera que sea su índole. Malas acciones.

CHINGADERITA

Un objeto que carece de valor. Una acción de poca monta.

CHINGADO

Expresión cuando una persona está desesperada esperando. No son todos de iguales interpretaciones.

Ejemplos:

—Cuando están esperando la salida de un avión y no sale por el mal tiempo.
—Cuando están esperando un autobús y no llega.

—Cuando están esperando a alguno en un lugar y
no llega.

—Cuando se quiere la llama del encendedor y no
prende.

—Cuando necesitan la atómica y no escribe.

—Cuando llegamos a la casa y nos acordamos de
un encargo.

—Cuando vamos a ver un cliente y se nos olvidaron
los papeles.

—Cuando escribiendo una carta nos equivocamos.

—Cuando vamos a entrevistar una persona y nos
dicen que salió de viaje.

—Cuando esperamos una carta y no llega.

—Cuando queremos que haga buen tiempo y llueve.

—Cuando llegamos a la oficina olvidamos las llaves.

—Cuando nos dicen que no va a venir la secretaria.

—Cuando queremos hablar por teléfono y no responde.

—Cuando tenemos una cita y no acuden.

—Cuando una cosa nos sale mal.

—Cuando vamos a ver un cliente y nos dice que ya
hizo la operación en otra parte.

—Cuando nos dicen que no va a ser gobernador la
persona de nuestra conveniencia.

—Cuando nos urge saber la hora y el reloj está
parado.

—Cuando queremos ver un programa en la tele y
se descompone.

—Cuando queremos hablar a larga distancia y las
líneas están cortadas.

—Cuando estando en un restaurant esperamos a
una persona y llega la que no queremos ver.

—Cuando marcamos el número de teléfono de una
persona urgiéndonos hablarle nos dicen que no
está.

—Cuando queriendo estar solo nos llega una visita.

—Cuando estando esperando un taxi al llegar se nos
anticipa una señora, etc., etc.

CHÍNGALA

Esta palabra tiene varias interpretaciones. Veamos:

—Al referirse a un castigo que se impone a una

CHINGA LA QUE LE DIERON

Comentario que hacen los vecinos en el trabajo o
la casa:

—Cuando se le encomienda un trabajo agotador.

—Cuando los ladrones entraron a la casa del vecino.

—Cuando a un conocido le dieron sus enemigos una
buena golpiza.

—Cuando un grupo de amigos juega las copas y
piden de los vinos más caros, para fregar al perdedor, etc., etc.

CHINGA LA QUE ME DIERON

Se dice cuando:

—Cuando una persona jugó y perdió hasta los cal-
zones.

—Cuando a una persona le dieron una buena paliza.

—Cuando a una persona la hicieron trabajar muy
duro.

—Cuando a una trabajador le dejan solo en una
labor pesada y penosa, etc., etc.

CHINGA LA QUE NOS VAMOS A DAR

El uso de la frase es muy común, cuando un grupo
de personas sabe el trabajo que les espera.

—Cuando en un taller ordenan se haga un trabajo
que no tiene espera y tendrán que trabajar horas
extras.

—Cuando en un taller entregan una máquina sucia,
oxidada y de difícil compostura.

—En un almacén al iniciarse el balance tienen que hacer el inventario contando pieza por pieza.

—Cuando se tiene que hacer nueva lista de precios de más de cien artículos.

—Cuando en la oficina se descompuso la máquina de sumar y se ven obligados a trabajar a la antiguita $2 + 7 = 9 + 5 = 14$, etc., etc.

—Cuando los soldados de infantería van a las maniobras y tienen que andar muchos kilómetros a pie.

—Cuando en un rancho necesitan urgentemente limpiar la acequia.

—Cuando en el rancho después de muchos días de lluvia tienen que trabajar el doble para que el zacate no perjudique las plantas.

—Cuando en la carretera se descompuso el coche y el pueblo está muy lejos, etc., etc.

CHINGA LA QUE SE DIERON

Comentario. Tiene diversas facetas. Veamos:

—Al conocerse la lucha que tuvieron dos personas.

—Al conocerse las vicisitudes de un viaje en el que tuvieron percances y problemas graves.

—Al conocerse el trabajo que desempeñaron y resultó muy pesado.

CHINGA LA QUE SE TIENE QUE AGUANTAR

Esta frase tiene apreciaciones diversas. Veamos:

—La regañada que le van a dar a un muchacho cuando llegue a su casa y el castigo que le espera.

—Las represalias de sus amigos al saber que hizo una fiesta y no los invitó.

—Al saberse el trabajo que le espera en el taller, fábrica u oficina por determinada causa.

—Los problemas que le van a venir encima a una

persona que lleva en su coche a otras que son molestas en extremo.

—Las dificultades que le esperan a una persona que decide hacer un viaje cuando el camino está pésimo.

—Cuando un amigo creyendo cantar victoria hace cita con su novia en Acapulco y ésta ha ido con su mamá, con su hermanito, con su hermana, etc., y no lo dejan ni a sol ni a sombra pagando las copas, etc.

—Cuando al casarse no sabe que la novia va a llevar a su mamá a vivir con ella. Comentario.

—Cuando a la vuelta de la esquina le esperan sus enemigos para darde de golpes.

—Cuando en el cuartel van a castigar a un soldado por desobediencia.

—Cuando un amigo no sabe que la persona con quien se echó un compromiso de trabajo es tardado y difícil para pagar, pero exigente.

—Cuando un amigo desconoce un camino y se compromete a hacerla de chofer.

—Cuando un amigo se compromete a ayudar a unas muchachas a organizar un baile y no sabe que a la hora de la hora lo van a dejar solo y cargará con el muerto.

—Cuando un amigo no sabe cómo anda la cosa política y acepta el cargo de jefe del PRI en el pueblo.

—Cuando un amigo acepta el cargo de inspector de mercados y no sabe cómo se las manejan las viejas de los puestos, etc., etc.

CHINGA LA QUE SE VA A DAR

Tiene semejanza con la frase anterior, pero ofrece otras facetas. Veamos:

—Al pretender hacer a pie el recorrido de un ca-
camino largo y malo.

—Al pretender arreglar una máquina que desconoce.

—Al tratar de sacar adelante solo la labor que se
desempeña por dos personas.

—Al proponerse ordenar un archivo muy revuelto.

—Al proponerse a encarrilar un negocio que va
mal.

—Al proponerse hacer un viaje sin contar con recursos suficientes.

—Al proponerse llevar en hombros a una persona
cuando no puede consigo mismo.

—Al proponerse llevar en hombros una cosa pesa-
sada y solo.

—Al adjudicarse la responsabilidad de un grupo
rebelde a todo orden y concierto.

—Al adjudicarse un trabajo complicado y no sabe
por dónde empezar.

—Al comprar un negocio no sabe la competencia
que le espera.

—Al aceptar un cargo político y no sabe por dónde
"anda la bolita" para sortear en un momento
dado una situación comprometida, sobre todo
cuando le rodean políticos ambiciosos.

—Cuando acepta ser presidente de una comisión y
a los demás de ella no les importa gran cosa.

—Cuando se acepta pagar el gasto de una boda.

—Cuando el novio acepta sufragar los gastos de
la casa y va a vivir allí toda la familia de ella.

—Cuando se compromete a encontrar una persona
que anda tomando y desconoce sus lugares favo-
ritos en la ciudad.

—Cuando se compromete arreglar el drenaje de
una casa cuando no sabe por donde desemboca.

—Cuando una persona contrata a otra y no sabe

que es incapaz de hacer algo de provecho.
—Cuando una persona a sabiendas de que viene un temporal se atreve a escalar una montaña, etc., etc.

CHÍNGALO

Orden de castigar a una persona. Orden de fusilar. Orden de matar a un animal dañoso, etc., etc. joven.
—Al referirse a un consejo en relación a una mujer.
—Al referirse a una gallina que mucho sale del corral y se ordena que la maten.

CHINGANA

Algo así como celada, algo preparado para sorprender a una persona.

CHINGAQUEDITO

Persona taimada, que navega con bandera de tonto, pero que de todo saca ventaja.

CHINGAR

Palabra de raíz germana. En los territorios limítrofes de Chile y Perú significa, tomar la copa en las cantinas, en una fiesta, fandango, etc., etc.
Posiblemente, esta palabra llegó a la Nueva España por Acapulco a causa de la feria que anualmente se celebraba a la que acudían gentes de aquellos lugares a la compra especialmente de herrajes y caballos, porque los de aquí, eran mejores. Como a su vez, llegaban gentes de Zacatecas, Guadalajara, Jalapa, Veracruz, Oaxaca, Pátzcuaro, Nayarit, Amozoc, Puebla, etc., etc. La palabra tomó carta de nacionalidad en la antigua Anáhuac y se esparció por todas partes, registrando una variedad de interpretaciones como se registran en esta obra.
En México, chingar significa, perjudicar, abusar en cualquier sentido pero en especial de las mujeres, alterar el orden de las cosas y de las personas.

CHINGARON BONITO

Da a entender, que hicieron muchos perjuicios, que los ladrones robaron mucho, pero también, que trabajaron con mucho empeño.

CHINGARSE

Hacerse daño, trabajar con empeño, luchar por la vida, sea en forma limpia o sucia.

CHÍNGATE ENTONCES

—Expresión cuando una persona se niega a tomar una medicina.

—Cuando una persona está bebiendo y otra le aconseja que vaya a su casa y se niega.

—Cuando en la casa no quiere comer lo que le dan.

—Cuando una persona va a pie y se niega a subir al coche al invitarlo otra.

—Cuando una persona está jugando y un amigo al ver que pierde le aconseja que no le siga y persiste, etc., etc.

CHINGO DE COSAS

Se dice cuando en un lugar, hay diversas formas de divertirse, muchos puestos o comercios donde comprar, por ejemplo en un supermercado, en una feria.

CHINGO DE CHINGADERAS

Muchas cosas enredadas, muchos dimes y diretes en un club, muchas chucherías en una feria, muchos chismes entre comadres, etc., etc.

CHINGO DE LUCES

Iluminación profusa.

CHINGO DE VECES

Muchas veces, muchas ocasiones, muchas oportunidades.

CHINGOLANDIA

La tierra del chingado.

CHINGOLÉS

Lenguaje popular en México.

CHINGÓN

Hombre capaz de todo y en cualquier sentido. Tiene también otra interpretación, la de un hombre malo.

CHINGONA

Tiene diversas apreciaciones. Veamos:

—Mujer que mucho abusa en cualquier sentido.

—Mujer que en todo se mete aunque no le importa.

—Al referirse a una máquina buena.

—Al referirse a una máquina que mucho maltrata.

—Al referirse a una máquina que mucho avanza.

—Al referirse a una máquina de mucho valor y buena.

—Al referirse a una fiesta de importancia.

—Al referirse a una labor política. Esto en varios sentidos, porque puede ser una buena labor, o una "mangana" para envolver incautos.

CHINGONAZO

Hombre de mucho empuje, de mucha influencia, bueno, representativo.

CHINGONCÍSIMO

Se dice de un hombre magnánimo.

CHINGÓN COMO LA CHINGADA

Persona que siempre tira a perjudicar a otro.

CHINGONEAR

Darse importancia en la calle, en las reuniones, etc., etc.

CHINGÓN ENTRE LOS CHINGONES

El jefe político de una nación. El director general de una empresa, el campeón mundial en cualquiera de los deportes, el más sabio entre los sabios, el más ladrón entre los ladrones, el más hábil entre los comerciantes, etc., etc.

CHINGONOMETRÍA

El arte de vivir de los demás.

CHINGONOMÉTRICO

Algo grande, brutal, largo, extenso.

CHÍNGUERE

Toda bebida alcoholizada. Propiamente el aguardiente.
Esto confirma que esta palabra llegó de Sur América.

CHINGUEROS

Muchas gentes, mucho dinero, muchas cosas, abundancia.

CHINGUE Y CHINGUE

Es un decir, que cuando la mujer, el jefe, una mosca, etc., están molestando a cada rato.

CHINO CHINGÓN

Oriental muy inteligente, o también que es muy "vivo" para engañar a los incautos.

CHISMOSO COMO LA CHINGADA

Cuando es mujer chismosa y cuando es hombre chismoso.
Persona que le gusta "el argüende" llevando y trayendo y llevando noticias habladas de una parte y de otra.

CHISPA COMO LA CHINGADA

Se dice de persona que es ocurrente y vivaz para decir las cosas.

CHISPAZO DE LA CHINGADA

El que produce un cortocircuito en cables de alta tensión.

CHISPORROTEA COMO LA CHINGADA

Cuando ocurre un corto circuito en los cables de la luz en las calles o simplemente en la casa.

CHIVA CHINGONA

La que da mucha leche y crías.

Se dice también si es maliciosa y escurre el bulto cuando no quiere que la agarren.

CHOCANTE COMO LA CHINGADA

Persona que por su altanería resulta antipática.

CHOCOLATE CHINGÓN

Cuando es de buena calidad y sabe bien.

CHOCOLATE DE LA CHINGADA

El que nos sirven aguado y agrio.

CHOQUE DE LA CHINGADA

Cuando es motivo de consecuencias funestas para los ocupantes.

CHORIZO CHINGÓN

El que está bien proporcionado en los sabores.

CHORREADO COMO LA CHINGADA

Tiene diversas aplicaciones. Veamos:

Una pared en que la pintura mal extendida ha formado hilos de pintura.

Se dice también, cuando a una persona herida le corre la sangre por la cara o por el cuerpo.

CHORRERA DE LA CHINGADA

Cuando una persona está muy ligera del estómago y anda viajes y viajes al W. C.

CHOTEO DE LA CHINGADA

Cuando de una persona se han reído tomándole el pelo.

CHUBASCO DE LA CHINGADA

Torrencial aguacero.

CHUPA COMO LA CHINGADA

Una bomba que absorbe mucha agua y la sube.

CHUPATINTAS CHINGÓN

Persona que se dedica a escribir en una oficina y sabe sacar jugo a los que allá caen en sus redes.

"DACÁ" ESA CHINGADERA
Indicación de que se le acerque algo. Ya se ha dicho que "chingadera" es a veces un objeto.

DADO A LA CHINGADA
Persona que anda mal de salud, económicamente, en política, moralmente, etc., etc.

DAGA CHINGONA
Arma blanca de buena punta y mejor acero.

DAGAZO DE LA CHINGADA
Herida causada con una daga que generalmente es mortal.

DALE DE CHINGADAZOS
Orden para que le den a una persona una buena tunda.

DANZA DE LA CHINGADA
Baile muy complicado. Danza de miles de pesos o millones en una quiebra, etc., etc.

DAÑADO COMO LA CHINGADA
Persona u objeto que ha sido maltratada con el uso o mal trato, o por golpes recibidos.
Puede ser un coche a causa de un choque, un edificio a causa de un temblor, un barco a causa de un ciclón, etc., etc.

DEBE COMO LA CHINGADA

Persona que debe dinero a todo el mundo.

DECENTE COMO LA CHINGADA

Persona muy formal en todos sus actos.

DEFECTUOSO COMO LA CHINGADA

M. F. Objeto, aparato, etc., que no responde con eficacia.

DEFIENDE COMO LA CHINGADA

Tiene diversas aplicaciones. Veamos:

—Un murallón que impide inundaciones.

—Una Cámara de Comercio a sus agremiados de los embates fiscales no legales.

—Un abogado a sus clientes.

—Una gallina a los polluelos.

—Un Tesorero Municipal los intereses de la Comuna, etc., etc.

DEJA COMO LA CHINGADA

Trabajo remunerativo. Dicen también que la política, pero no a todos, pues algunos quedan al final en la miseria, si se descuidan.

DEJA PURA CHINGADA

Un negocio cualquiera, pagando salarios altos, impuestos al Gobierno Federal y al Estado, el Seguro Social, cuotas a la Cámara de Comercio, etc., etc., si es que el comerciante no hace sus "chimancuepas".

DE CHINGADERA

Se entiende como "por casualidad", "de chiripa".

DE LA CHINGADA

Es una frase concluyente, definitiva. Muy usada para indicar que se han obtenido resultados negativos en cualquiera de las actividades a que se dedica el ser humano. Veamos:

1—¿Cómo te fue en el negocio?

De la chingada, porque "se rajó" el socio.

2.—¿Cómo te fue en la tienda?

De la chingada, porque no vendía nada.

3.—¿Cómo te fue en la feria?

De la chingada, porque no vendimos nada, porque me robaron, porque me enfermé, porque no hubo gente, porque había muchos vendedores, etc., etc.

4.—¿Cómo te fue en la siembra?

De la chingada, porque llovió mucho, porque no llovió, porque llovió fuera de tiempo, porque hubo un verano largo, porque le cayó una plaga, porque no hubo peones para la escarda, porque no pude hacer la cosecha a tiempo, porque no valió la cosecha, etc., etc.

5.—¿Cómo te fue en la fiesta?

De la chingada, porque se me juntaron las dos novias, porque el hijo del gobernador me quitó la compañera, porque había mucha gente "popoff", porque había muchos "hippis", etc., etc.

6.—¿Cómo te fue en el viaje?

De la chingada, porque se me desbieló el coche, porque cobraron mucho en los hoteles, porque se enfermó mi mujer, porque llovió todos los días, porque no fueron los compañeros, porque el camino estaba malo, etc., etc.

7.—¿Cómo te fue en Acapulco?

De la chingada, porque no podía encontrar hotel; porque no había dónde comer; porque no fueron las muchachas como quedaron; porque mi novia encontró a otro amigo rico y se fue con él; porque mi

novia se fue con su mamá y sus hermanas y tuve
que andarlas paseando y yo no más mirando; porque me llevaron a Tránsito por haber pasado el alto
y por averiguar me cargaron la infracción; porque
la carretera está llena de baches; porque llovió todos los días, porque me metieron a la cárcel a causa
de unas gringas a las que robaron y a mí por andar
cerquita dijeron que yo era el ladrón y tuve que
pedir prestado para salir y volver, etc., etc.

8.—¿Cómo te fue en el matrimonio?

De la chingada, porque mi mujer me salió muy re-
jega; porque la suegra cada rato está "chingue y
chingue"; porque mi mujer no quiere que salga de
casa en la noche; porque quiere mi mujer andar
siempre "catrina" para que no digan que estamos
pobres; porque quiere que le compre la televisión
grande; porque quiere tener cocinera para no echar-
se a perder las manos con el ajo y las cebollas;
porque todos los días quiere que la lleve al cine;
porque no quiere que hable con ninguna otra mujer, etc., etc.

9.—¿Qué tal te resultó el motor?

De la chingada, porque no quiere "jalar" al meter-
le tantita carga; porque cada rato se descompone;
porque no hay refacciones, etc., etc.

10.—¿Qué tal está el camino?

De la chingada, porque está lleno de baches; porque
se levantó el asfalto; porque lo están reparando, etc.

11.—¿Qué tal está el enfermo?

De la chingada, porque ya no le hacen las medicinas; porque el médico no le atina; porque no quiere comer; porque todo le hace daño; porque no
puede dormir, etc.

12.—¿Cómo sigue el trabajo?

De la chingada, porque no han venido todos los trabajadores; porque no quiere "jalar" el tractor; porque, no hay materiales; porque están en huelga los trabajadores, etc., etc.

13.—¿Cómo te fue en el temblor?

De la chingada, porque se me cuarteó la casa, etc.

14.—¿Cómo te va en el trabajo?

De la chingada, porque el jefe es exigente; porque no le entiendo muy bien a "l'ancheta"; porque no me pagan bien; porque tengo que madrugar temprano; porque el trabajo es muy pesado; porque tengo que "chingarme" bonito; porque no le caigo bien al jefe; porque no les caigo bien a los compañeros, etc., etc.

15.—¿Cómo te fue en los gallos?

De la chingada, porque "perdí viejo".

16.—¿Cómo les fue en el partido?

De la chingada, porque "al de mero arriba" no le gustó nuestra organización y nos dijo que no servíamos para nada.

17.—¿Qué tal te resultó el coche?

De la chingada, porque con cualquier jaloncito "se raja" porque no hay refacciones; porque gasta mucha gasolina; porque a cada rato hay que empujarlo, etc., etc.

18.—¿Qué tal te resultó el yerno?

De la chingada, porque no trabaja y para salir le pide dinero a mi mujer.

19.—¿Qué tal te resultó el hijo?

De la chingada, porque yo quería que fuera médico, pero él quiere ser pintor, por eso no más anda de borracho, etc., etc.

DELICADO COMO LA CHINGADA

Persona enfermiza. Se dice también de un aparato muy delicado al que hay que tratar con cuidado.

DELITO CHINGÓN

Acto contrario a la ley de muy elevado castigo. El caso de un asesinato con premeditación, alevosía y ventaja.

DEMANDA CHINGONA

Exigencia injustificada o fuera de toda consideración. Puede interprtarse en sentido contrario, cuando está debidamente y bien fundada.

DENUNCIA DE LA CHINGADA

Requerimiento hecho ante el Ministerio Público acusando gravemente a una persona.

DE PURA CHINGADERA

Esta frase tiene muchas aplicaciones. Veamos:

—De pura casualidad llegué. Llegó por casualidad.

—De pura chingadera lo alcancé. Porque la persona a quien buscaba se entretuvo.

—De pura chingadera lo "jallé". Encontró la persona u objeto donde menos lo esperaba.

—De pura chingadera me tocó. La lotería. Tuvo premio.

—De pura chingadera lo hice. Algo que se hace sin pensar.

—De pura chingadera lo arreglé. Por casualidad lo arregló.

—De pura chingadera se me hizo. Permiso logrado sin esperar lograrlo.

—De pura chingadera me vio. Cuando de una persona estamos escondiéndonos.

También cuando estamos buscando a una persona entre muchísima gente.

—De pura chingadera lo supe. Noticia que se sabe
sin buscarla.

—De pura chingadera entré. Lograr la entrada a
lugar muy vigilado.

—De pura chingadera no se lo llevó la chingada.
Se libró una persona de la muerte por un pequeño detalle.

—De pura chingadera conseguí chamba. Encontró
trabajo no obstante había muchos solicitándolo.

—De pura chingadera no lo agarraron. A un fugiti-
vo la policía no lo capturó por esconderse a tiempo. Puede ser también, una vaca, un toro, los
abigeos cuando estaban robando ganado.

Así muchos ejemplos en que interviene la casuali-
lidad o la suerte.

DERROTA DE LA CHINGADA

Final desastroso en un combate, en un partido, en
una competencia deportiva, etc., etc.

DESABRIDO COMO LA CHINGADA

Tiene diversas aplicaciones:

—Persona poco amante de tener amistades.

—Bebida insípida.

DESABROCHADO COMO LA CHINGADA

Persona que no cuida de abotonarse el vestido sea
camisa, pantalón, etc., etc.

DESAFINADO COMO LA CHINGADA

Persona que al cantar no ajusta su voz al tono de
la canción. Puede aplicarse también a un instru-
mento.

DESANIMADO COMO LA CHINGADA

Persona que siempre anda triste y no le gustan las
reuniones y fiestas. Inactivo, pasivo a todo.

DESAHUCIADO DADO A LA CHINGADA

Persona que no tiene esperanzas de recuperar la salud.

DESARME DE LA CHINGADA

Orden terminante de la autoridad, para recoger las armas de fuego o blancas a todos, sin excepción.

DESAYUNO CHINGÓN

Desayuno abundante y de excelentes platillos.

DESAYUNO DE LA CHINGADA

Desayuno malo y escaso.

DESBANDADA DE LA CHINGADA

Huida desordenada de un grupo sin orden ni concierto.

DESBOCADO COMO LA CHINGADA

Caballo que corre y no responde a la rienda.

DESCOMPUESTO COMO LA CHINGADA

Persona dominada por los vicios. Puede ser también un comestible echado a perder. Igualmente un aparato de radio, televisión u otro como también un auto, u otra máquina cualquiera.

DESCONFIADO COMO LA CHINGADA

Persona que no se fía ni de su sombra.

DESCONTENTO COMO LA CHINGADA

Persona que no se conforma con nada.

DESCUIDADO COMO LA CHINGADA

Persona que no pone cuidado alguno en su trabajo en su persona o en sus cosas personales, etc., etc.

DESENGAÑADO COMO LA CHINGADA

Persona que ya no tiene fe en la vida.

DESFILE CHINGÓN

El que se organiza en los días patrios.

DESGRACIA DE LA CHINGADA
Tiene diversas aplicaciones. Veamos:
—Cuando una familia pierde quien la sostiene.
—Cuando en un incendio de grandes proporciones
han sido afectados los intereses de muchos.
—Al hundirse un barco se ahogaron muchas gentes.
—Al caer un avión murieron todos, etc., etc.

DESINFECTA COMO LA CHINGADA
Sustancia eficaz para curar un mal.

DESMOCHE DE LA CHINGADA
En un cambio de gobierno separan a muchos empleados.

DESPACHA COMO LA CHINGADA
Empleado que atiende a las personas rápidamente y bien.

DESPACHA DE LA CHINGADA
Empleado que atiende a las personas mal, como si fueran a pedirle un favor.

DESPACHO CHINGÓN
Oficina de un funcionario o profesionista muy bien acondicionado.

DESPACHO DE LA CHINGADA
Oficina mal equipada y acondicionada.

DESPECHADO COMO LA CHINGADA
Persona que está amargada de la vida y de sus amigos.

DESQUITE DE LA CHINGADA
Recobrar lo perdido con ventaja. Se dice también cuando se toma venganza.

DICE CHINGADERA Y MEDIA
Persona que habla mucho, que dice disparates.

DIENTÓN (DENTÓN) COMO LA CHINGADA

Ser humano que tiene una dentadura muy grande o desproporcionada.

DIETA DE LA CHINGADA

La que impone el médico y es rigurosa.

DIFERENCIA DE LA CHINGADA

Se dice, cuando no concuerdan unas cosas con otras. Por ejemplo, en un balance no hay igualdad entre las operaciones del debe y del haber. En los dichos de unos y otras como en las noticias que se reciben de distintas fuentes o tendencias. Cuando una persona dice más y la otra menos, etc., etc.

DILATA A LO "JIJO" DE LA CHINGADA

Persona que es tardada para hacer las cosas, trabajo, compras, etc., etc.

DIPUTADO CHINGÓN

El que sabe el teje y maneje de la política.

DISIMULADO COMO LA CHINGADA

Persona que no hace caso de nada y no oye cuando no le conviene.

DISTANTE COMO LA CHINGADA

Lugar que está muy lejos, a mucha distancia.

DOCTOR CHINGÓN

Médico muy capaz cuyos diagnósticos son acertados.

DOLOR DE LA CHINGADA

Sensación aguda en algún lugar del cuerpo.

DOLORIDO HASTA LA CHINGADA

"Adolorido". Persona agobiada por una pena, por la angustia. Puede ser también por golpes que ha recibido.

DOMINA COMO LA CHINGADA

Persona que tiene ascendiente sobre los demás por
su inteligencia, por su saber.
También se aplica en los deportes al que domina el
campo contrario al tratarse de un equipo.

¿DÓNDE CHINGADOS AGARRARÉ UN COCHE?

(Tomaré) Cuando una persona busca un carro y no
lo logra.

¿DÓNDE CHINGADOS ANDABAS?

Pregunta cuando se le ha buscado por todas partes.

¿DÓNDE CHINGADOS ANDARÁ FULANO?

In mente, cuando se busca a una persona.

¿DÓNDE CHINGADOS APRENDIÓ?

Pregunta que se hacen los vecinos cuando observan
que el que vive cerca toca bien la guitarra.

¿DÓNDE CHINGADOS ESTÁ?

Pregunta que se hace a un familiar al buscar algo.

¿DÓNDE CHINGADOS ESTARÁ EL APAGADOR?

Provinciano que quiere apagar la luz y no sabe
dónde.

¿DÓNDE CHINGADOS ESTARÁ EL CABALLO?

Pregunta in mente cuando se le ha buscado bien.

¿DÓNDE CHINGADOS ESTARÁ LA MINA?

Persona que busca una mina de la que le han hablado.

¿DÓNDE CHINGADOS ESTARÁ LA TIENDA?

Un provinciano a quien le recomendaron comprar
una cosa en la ciudad y no encuentra la casa reco-
mendada.

¿DÓNDE CHINGADOS GUARDARÁ LA PISTOLA?

La policía requisando la casa de un delincuente.

¿DÓNDE CHINGADOS LO ACOSTAMOS?

Persona que llega a una casa y no tienen dónde acostarlo.

¿DÓNDE CHINGADOS LO COMPRARÉ?

Pregunta in mente de una persona cuando lo que necesita hay en varias partes.

¿DÓNDE CHINGADOS LO COMPRARON?

Persona que al ver una cosa le interesa comprarla.

¿DÓNDE CHINGADOS LO COMPRASTE?

Pregunta que se hace cuando una persona trae algo que ha buscado por todas partes.

¿DÓNDE CHINGADOS LO ENCONTRAMOS?

Pregunta que se hace la policía al buscar un ladrón.

¿DÓNDE CHINGADOS LO ESCONDEMOS?

Personas que viven del hurto y que al llegar la "poli" no encuentran la forma de esconder lo robado. Asimismo un comerciante cuando vende mercancía de contrabando y no halla dónde meterla.

¿DÓNDE CHINGADOS LO LLEVARÁN?

Pregunta en un pueblo cuando la policía lleva un preso.

¿DÓNDE CHINGADOS SE ESCONDIÓ?

Cuando la "poli" busca a una persona y se les esfuma.

¿DÓNDE CHINGADOS SE IRÍA?

Pregunta que hace una persona cuando andaba acompañada por otra y no la encuentra.

¿DÓNDE CHINGADOS SE LO HARÍAN?

In mente una persona algo que le llama la atención.

¿DÓNDE CHINGADOS TE METISTE?

Persona que busca a otra y no la encuentra.

¿DÓNDE CHINGADOS TENDRÁ EL ESCONDITE?
Los hijos buscando los dineros del papá.

¿DÓNDE "JIJOS" DE LA CHINGADA "LA JALLASTE"?
Pregunta que hace una persona a otra cuando ve algo que necesita y él ha buscado por todas las tiendas.

¿DÓNDE "JIJOS" DE LA CHINGADA ESTABAS?
Pregunta un amigo a otro cuando ya desesperado se iba a su casa.

Entendemos que ya basta de dóndes

DORADO COMO LA CHINGADA
Objeto muy bien cubierto de metal que parece oro.

DUERME COMO LA CHINGADA
Persona entregada en brazos de Morfeo tranquilamente.

DUERME DE LA CHINGADA
Persona que no logra conciliar el sueño, o que despierta con facilidad.

DULCE COMO LA CHINGADA
Pastel muy endulzado.

DURO COMO LA CHINGADA
Algo que resiste los golpes más fuertes. Asimismo, el metal que no se desgasta con la fricción.

ECHA CHINGADOS POR CUALQUIER CHINGADERA
Persona que es muy mal hablada por cualquier
motivo.

EFECTO DE LA CHINGADA
Consecuencias negativas causadas por una causa.

EGOÍSTA COMO LA CHINGADA
Persona que no ayuda ni favorece a nadie.

EJEMPLO DE LA CHINGADA
El mal ejemplo que dan algunas personas con su
manera de ser.

EL MÁS CHINGÓN
Se interpreta de diversas maneras. Veamos:
—El más hábil.
—El más ladrón.
—El que conoce mejor el teje y maneje de la polí-
tica, de una empresa, en las oficinas públicas, para
hacer un trabajo, etc., etc.

EL MÁS CHINGÓN DE LOS CHINGONES
Tiene diversas interpretaciones. Veamos:
—Cuando se trata de adular a una persona como
diciendo, es el más poderoso de los poderosos.
—Al señalar al más malvado de los malvados, al
más ladrón de los ladrones.

—Al señalar a un campeón mundial de box. También
se aplica a los que obtuvieron la Medalla de
Oro en las olimpiadas.

—En la universidad al rector.

—En política al jefe del PRI.

—En una fábrica de automóviles al jefe de ingenieros.

EL MERITITO CHINGÓN

Señalar con precisión al superior jerárquico de una
institución.

EL MERO CHINGÓN

Tiene diversas aplicaciones. Veamos:

—El jefe de una institución, como el Gerente General, el Ministro de la Guerra, el jefe de un
partido, el jefe de los bandidos, el jefe de una
escuela, el jefe de un oficina, etc., etc.

EL MERO CHINGÓN SE MURIÓ

Se dice:

—Cuando en un combate muere:
    el jefe de los bandidos,
    el jefe de un ejército,
    el jefe de una delegación deportiva en un en-
cuentro habido entre dos equipos por causa del
juego.

EL MERO CHINGÓN SE RAJÓ

Se dice cuando un campeón de box declina un
encuentro con otro por alguna cosa.

EL MERO "JIJO" DE LA CHINGADA

Se dice al señalar con precisión a la persona que
preparó el crimen, el robo, el desorden.
Asimismo se dice al referirse a un grupo de muchachos que se dedican a cometer travesuras, al que los
azuza, al que los dirige o también al más malo de
ellos.

EMBORRACHA COMO LA CHINGADA

Licor que marea fácilmente.

EMPAPA COMO LA CHINGADA

Lluvia ligera que moja la ropa que traemos.

EMPAPADO COMO LA CHINGADA

Persona a la que le ha alcanzado un aguacero y lo
mojó totalmente.

Se dice también, de aquella persona que está pro-
fundizada de un asunto, que sabe realmente del caso.

EMPEÑA CUANTA CHINGADERA TIENE

Persona que lleva al Monte Pío todo lo que puede.

EMPEÑA POR CUALQUIER CHINGADERA

Recibe préstamos insignificantes por las cosas.

EMPEÑA PURA CHINGADA

Persona que no empeña las cosas aunque tenga
mucha necesidad.

EMPISTOLADO COMO LA CHINGADA

Persona que carga por lo menos dos pistolas.

EMPUJA COMO LA CHINGADA

Persona que empuja mucho.

**EN 1810 EL CURA HIDALGO
PRENDIÓ LA MECHA Y
NINGÚN "JIJO" DE LA CHINGADA
LA APAGÓ HASTA LA FECHA**

Discurso patriótico. En muchos pueblos del centro
de la República en las Fiestas Patrias durante sus
actos cívicos, una vez terminados los discursos oficiales se deja la Tribuna Libre al pueblo. Un ciu-
dadano al calor del "chínguere" dentro de su léxico
manifestó que nadie apagó el fuego de la Indepen-
dencia y ésta se hizo.

ENAMORA A LO "JIJO" DE LA CHINGADA

Persona que no deja de enamorar a ninguna joven.

ENAMORADO COMO LA CHINGADA

Persona que queda encantado de todas las mujeres.

ENCAJADO COMO LA CHINGADA

Persona que se mete hasta donde no lo llaman.

ENCANDILADO COMO LA CHINGADA

Persona que queda absorto con cualquier cosa.

ENCANIJADO COMO LA CHINGADA

Cuando una persona está enojada.
Se dice también de los toros cuando son muy bravos.
De los venados cuando atacan en un corral.
De los chivos cuando están enojados.
De los caimanes cuando por descuido los lazan, etc.,
etc.

EN CASA DE LA CHINGADA

Esta frase no se refiere al lugar donde mora alguien,
sino que indica otra cosa muy distinta como lo vamos a ver:

—Una casa que se encuentra en una calle muy distante del lugar donde nos encontramos.

—Un lugar muy distante de donde estamos.

—Un pueblo cuya distancia en salvar falta mucho.

—En un taller mecánico donde tratan de colocar
una pieza en una máquina pero que queda distante por el empuje de otra.

ENCEBADO COMO LA CHINGADA

Animal bien engordado.

ENCOGIDO COMO LA CHINGADA

Tejido que se ha recogido por alguna causa.

ENCOJE A LO "JIJO" DE LA CHINGADA

Una tela que al lavarla se reduce mucho, se recoje.

ENCORBADO COMO LA CHINGADA

Persona a la que el peso de los años ha curvado.

ENDEMONIADO COMO LA CHINGADA

Se dice de una persona que le gusta gastar bromas pesadas y siempre está pensando hacerlas.

ENDEREZADO COMO LA CHINGADA

Persona que se mantiene enhiesta a pesar de los años.

Se dice también cuando una pieza se torció, se logró enderezarla.

ENEMIGO DE CHINGADERAS

Persona que no es afecta a cosas insignificantes.

EN ESA CHINGADERA TE VAS A CHINGAR

Se dice al referirse a un automóvil que corre mucho. Al referirse a una avioneta destartalada, a un helicóptero muy usado, etc., etc.

ENGAÑA COMO LA CHINGADA

Persona que no es de fiar lo que dice y hace.

ENGAÑA ESA CHINGADERA

Que un objeto no es lo que aparenta.

ENGORDA A LO "JIJO" DE LA CHINGADA

Alimento muy eficaz para una persona delgada que quiere subir de peso.

También se dice de los alimentos que se dan a los animales para que engorden.

ENGORDA PURA CHINGADA

Se dice cuando un alimento no tiene las cualidades que se le atribuyen.

ENGREÍDO COMO LA CHINGADA
Persona enfatuada, pagada de sí misma.

ENREDOSO COMO LA CHINGADA
Persona de hechos maquiavélicos.

ENREVESADO COMO LA CHINGADA
Se dice cuando un pleito está muy revuelto. También cuando se trata de un asunto político cuando intervienen intereses contrarios, etc., etc.

ENSEÑA COMO LA CHINGADA
Tiene dos interpretaciones. Veamos:
—Una dama que ostenta su morbideces más de lo debido. Mucho escote, falda ajustada y corta, etc.
—Maestro que sabe su oficio, sea cual fuere, y hace que estudien y aprendan sus discípulos.

ENSEÑA PURA CHINGADA
Tiene dos interpretaciones. Veamos:
—Al referirse a una dama que va vestida muy recatada.
—Maestro que no sabe desempeñar su profesión.

ENSUCIA COMO LA CHINGADA
Se dice de una persona que tira por todas partes papeles, basuras, etc., etc.
Asimismo se dice también, de la chimenea de una fábrica cercana. También de una máquina que ensucia los vestidos por la grasa que tiene.

ENTIENDE COMO LA CHINGADA
Caballo, perro u otro animal que comprende lo que se le dice. Se aplica también a un niño que apenas va a la escuela y comprende lo que le dice el profe.

ENTIENDE PURA CHINGADA
Persona o animal que no entiende nada por más esfuerzos que se hagan.

ENTIERRA COMO LA CHINGADA

Aparato que hace sumergir un barreno sea en piedra o en tierra con facilidad. Una perforadora, una barrenadora, etc., etc.

ENTIERRO CHINGÓN

Manifestación de duelo al que concurren muchas personas de representación oficial o particulares de relieve social en un cortejo fúnebre.

ENTIERRO DE LA CHINGADA

Cuando el cortejo fúnebre lo forman cuatro "gatos".

ENTONADO COMO LA CHINGADA

Persona que sabe elevar su voz al cantar con entonación correcta.

ENTORCHADO COMO LA CHINGADA

Oficial del ejército o de la marina con muchos galones y condecoraciones.

ENTRADA "JIJA" DE LA CHINGADA

Paso muy estrecho, de muchos vericuetos, obstáculos, etc., etc.
Se dice también, cuando cuesta mucho lograr un paso.

ENTREGA PURA CHINGADA

Se dice cuando una persona se niega a entregar una cosa, dinero, documento, etc., etc.

ENTRETENIDO COMO LA CHINGADA

Persona que se distrae en cualquier lugar y por diversas causas, perdiendo por ello el tiempo. También se dice de un lugar donde hay manera de pasar el tiempo.

ENTROMETIDO (Entremetido) COMO LA CHINGADA

Persona que interviene en lo que no le atañe.

ENVENENA COMO LA CHINGADA

Pócima o yerba que envenena.

ENVIDIOSO COMO LA CHINGADA

Persona que no puede ver que otro tenga más que
ella, que no puede ver que otro tenga un objeto
que él no lo tiene.

ERES COMO LA CHINGADA

Dicho directamente de una persona que es malvada.
También se dice en sentido elogioso, para manifestar que es muy ocurrente, aguzado, inteligente, etc.

ESA CHINGADA TE VA A CHINGAR

Al referirse a una mujer de mala condición se da
consejo a otro, porque puede perjudicarle.

ESA CHINGADERA VALE PURA CHINGADA

Al indicar que un objeto que se está ofreciendo no
vale nada.

ESAS SON PURAS CHINGADERAS

Al decir a otro, que las informaciones que le está
dando no merecen crédito, son infundadas y malé-
volas.

ES BUEN "JIJO" DE LA CHINGADA

Al referirse de una persona que es de mala índole.

ES BUENO A LO "JIJO" DE LA CHINGADA

Para referirse de una persona que es todo bondad.

ESCÁNDALO DE LA CHINGADA

Se dice cuando un grupo ha dado lugar a que la
prensa o las comadres del pueblo comenten desfa-
vorablemente, actos que han alterado el orden de
las cosas. Ejemplo: Cuando un funcionario principal
ha cometido un acto penado por la ley. Cuando un
gerente se ha sobrepasado con la secretaria y el
hecho ha pasado al comentario público. Se dice

también cuando personajes se han emborrachado públicamente y han cometido actos propios de la gente vulgar, aunque cuando un rico se emborracha es alegría y en el pobre es borrachera.

ESCANDALOSO COMO LA CHINGADA

Un fulano que le gusta alterar el orden sea donde fuere.

ESCALERA "JIJA" DE LA CHINGADA

Es común decir cuando es mala, rota, larga y pesada.

ESCARCHA DE LA CHINGADA

Comentario, cuando se estima que va a causar daños.

ESCARDA A LO "JIJO" DE LA CHINGADA

La cultivadora de un tractor que avanza mucho.

ESCASO COMO LA CHINGADA

Cuando un artículo ha desaparecido del mercado.

ESCOFINA CHINGONA

Lima de muy buena calidad.

ESCOGIERON LA PURA CHINGADERA

Se dice cuando no se ha procurado buscar lo mejor al tratar de comprar una cosa.

ES COMO LA CHINGADA

Al referirse de una persona de la que hay que tener mucho cuidado y teme cualquier desaguisado. También se dice:

—De una persona de mala condición en todo.
—De una mula que no se deja poner el aparejo.

ESCONDE CUANTA CHINGADERA ENCUENTRA

Persona que tiene la manía de esconder las cosas.

ESCONDIDO COMO LA CHINGADA

Se puede decir de una persona o de algún objeto que estaba bien escondida por alguna causa.

ESCONDITE DE LA CHINGADA

Lugar muy bien oculto y difícil de encontrar.

ESCOPETA CHINGONA

Se dice de aquella que es de calidad y fina.

ESCRIBE A LO "JIJO" DE LA CHINGADA

Persona que escribe mucho y variado.

ESCRIBE COMO LA CHINGADA

Persona que escribe muy aprisa y bien.

ESCRIBE CHINGUEROS

Persona que escribe mucho.

ESCRIBE DE LA CHINGADA

Persona que escribe mal, bien por la redacción, bien por las faltas de ortografía, bien por su mala letra.

ESCRIBIENTE CHINGÓN

Persona que sabe escribir bien.

ESCRITO CHINGÓN

Escrito bien fundamentado.

ESCRITO DE LA CHINGADA

Se dice cuando lo escrito se eleva a la superioridad dando bien fundadas quejas, denuncias, etc., etc. También cuando está mal fundamentado, mal redactado.

ESCRUPULOSO COMO LA CHINGADA

Persona que cuida de someter sus actos a unas reglas bien llevadas.
También se dice cuando cuida de que sus alimentos y demás utensilios estén bien limpios.

ESCUADRA CHINGONA

Se dice cuando una pistola escuadra es muy buena. También al referirse a las naves de guerra de una nación que son de las mejores del mundo.

ESE CHINGADO TE VA A CHINGAR

Consejo que se da a una persona al advertir que tiene relaciones con otra que no merece confianza.

ESE ENCENDEDOR PRENDE PURA CHINGADA

Se dice cuando un encendedor no enciende por mucho que se intenta y el que está viendo se impacienta.

ESENCIA DE LA CHINGADA

Se dice cuando el olor de un perfume cansa.

ESPANTAN A LO "JIJO" DE LA CHINGADA

Lugar donde las gentes dicen que espantan.

ESPANTAN PURA CHINGADA

Se dice cuando no es cierto que espantan en un lugar.

ESPANTO DE LA CHINGADA

El temor que causa un temblor muy fuerte, también un ruido nada normal que se escucha en ocasiones y alarma demasiado a las gentes.

ESPEJO CHINGÓN

Un espejo hermoso y grande donde se ven de entero.

ESPEJO "JIJO" DE LA CHINGADA

El espejo que ya no sirve y que al estarnos rasurando, por no vernos bien, nos cortamos.

ESPERA DE LA CHINGADA

Sucede, cuando un camión de pasajeros no llega en los lugares de paso, en un consultorio, en una oficina pública, cuando viene un alto funcionario, etc., etc.

ESPERANZA DE LA CHINGADA

La que tiene los que juegan a la lotería, la que tienen los políticos cuando va a cambiar el régimen, la que tienen algunos comerciantes en espera de las cosechas, etc., etc.

ESPERA PURA CHINGADA

Tiene diversas aplicaciones: El avión que sale a la hora en punto. El autobús a la hora, así como también algunas personas que no esperan a nadie.

ESPÉRATE, AHORITA NOS VAMOS A LA CHINGADA

Es un decir muy común, cuando un amigo le dice a otro que lo espere y puedan ir juntos.

ESPÍA COMO LA CHINGADA

Persona que se dedica a oir conversaciones de gente principal, especialmente de políticos para llevar la noticia donde le interesa. De igual manera aquellos que están sobre el rastro de un crimen, de un robo, etc., etc.

ESPONJADO COMO LA CHINGADA

El sapo cuando está enojado se infla como si fuera de plástico.

ESPUELAS CHINGONAS

Cuando las espuelas son de fino acero y tintinean bonito

ESTÁ BIEN QUE CHINGUEN PERO NO A LA CHINGADERA

Se dice cuando algunos roban sin preocuparse si los ven.

ESTÁ BONITA COMO LA CHINGADA

Comentario sobre una dama que es muy bonita.

ESTÁ BONITA ESTA CHINGADERA

Objeto muy bonito. Alguna cosa que agradó mucho.

ESTÁ COMO LA CHINGADA

Esta frase tiene diversas aplicaciones. Veamos:

—Cuando se dice con cierta entonación, se refiere a una joven preciosa, llena de gracias y dones corporales.

—De una persona que está disgustadísima.

—De un aparato, llámese radio, televisión, auto, máquina, etc., etc., trabajando a la perfección.

—De un postre muy sabroso, de una fruta muy dulce, de una cerveza bien fría, de un vino, etc., etc.

ESTÁ COMO PARA QUE SE LO LLEVE LA CHINGADA

Se aplica en muchos casos. Veamos algunos:

—Un edificio a punto de caerse.

—Una persona con pésima salud.

—Un coche en muy mal estado, etc., etc.

ESTÁ DADO A LA CHINGADA

Tiene varias aplicaciones. Veamos:

—Cuando una persona está totalmente deprimida.

—Cuando una persona está totalmente en quiebra.

—Cuando una persona perdió la salud.

—Cuando una persona perdió el control.

—Cuando una persona políticamente está mal.

—Cuando una persona no tiene a quién pedirle un favor.

—Cuando un auto está inservible.

—Cuando una persona está desesperada sin saber qué hacer ni a dónde ir.

—Cuando un edificio está en pésimo estado.

—Cuando a un profesionista ni le cae un cliente.

—El servicio de luz porque no reparan las líneas, etc., etc.

ESTÁ DE LA CHINGADA

Se aplica en diversas interpretaciones:

—Al referirse a un trabajo mal hecho.

—Al referirse a una persona que está de mal humor, en malas condiciones económicas, etc., etc.

—Al comentar la situación política.

—Al comentar el mal estado de los cultivos.

—Al examinar la situación económica de una firma.

—Al estado ruinoso de una casa.

—Al comentar sobre el movimiento de una feria.

—Al referirse a un auto en que todo suena, menos el cláxon.

—Al referirse a una máquina que está buena como para tirarla.

—Al referirse al servicio telefónico al estar malo.

—Al referirse a una carretera llena de baches.

—Al referirse a la salud de un amigo muy enfermo.

—Al referirse al servicio de la policía.

—Al referirse al estado del tiempo cuando no llueve y las tierras están sedientas.

—Al referirse al estado económico del municipio libre, etc., etc.

ESTÁ "P'A" CHINGARSE

Se dice cuando una máquina, un auto, etc., etc., está a punto de romperse.

ESTÁ QUE CHINGA

Tiene diversas explicaciones. Veamos:

—Cuando una muchacha está ganosa de tener marido.

—Un mole sabrosísimo.

—Un chile muy picoso.

—Una cerveza cuando la tomamos con mucha sed.

—Una navaja muy filuda.

—Un puñal con una punta muy fina.

—Un viento frío que nos hace titiritar.

—Una autoridad ante una situación que la compromete.

—El agente de tránsito cuando se cree burlado, etc., etc.

ESTÁ QUE SE LO LLEVA LA CHINGADA

Estado de ánimo de una persona cuando está disgustadísima, que no quiere oir nada ni escuchar a nadie.

ESTÁN QUE SE LOS LLEVA LA CHINGADA

Se dice, cuando una familia está disgustada con otra por alguna causa, un grupo porque los hicieron menos, otros porque les comieron el mandado (política), etc., etc.

¿ESTAS COSAS NO SON CHINGADERAS?

Se dice en muchos casos. Veamos:

—En el registro civil, cuando alguien pretende hacer una cosa indebida.

—Cuando un comprador de joyas no conoce la calidad y habla sin conocer lo que es bueno.

—Ante un agente de tránsito un chofer le dice que no es para que "chille tanto.

—Cuando un joven que raptó una muchacha, con dinero quiere arreglarlo todo y el padre se niega.

—Cuando una persona contrae compromiso con otro y pretende "rajarse".

—Cuando una persona no paga las cuotas de algún centro y el tesorero le cobra muy serio.

—Cuando un joven contrae matrimonio civil y allá mismo se "raja" tratando de "nulificar" el acto.

—Cuando una persona firmó la compra de un auto y después de sacarlo y andar un poco "se raja".

—Cuando una persona pide servicios a una funera-

raria y por creerlo formal le fían y después del
entierro dice que no paga porque le cobran mucho, etc., etc.

ESTÁS QUE CHINGAS

Lo que dice un amigo a otro cuando está castigado
y no puede salir, por fumar cuando lo tiene prohibi-
do, beber porque le hace daño, interesado por una
dama, pero no puede hacer nada por estar casado
y es amiga de su mujer, por ser diputado pero no
lo toman en cuenta, etc., etc.

ESTA TIERRA VALE PURA CHINGADA

Se dice cuando un terreno no sirva para sembrar
nada.

ESTO ESTÁ DE LA CHINGADA

Comentario en diversos casos. Veamos:
—Desorden en una población por la falta de policía.
—Un negocio que anda de cabeza.
—Al comentar el estado de las plantas por sequía.
—Cuando la crisis se agudiza en una población.
—Cuando la feria no sirvió.
—El estado financiero de un club donde nadie paga,
etc., etc.

ESTO ES UNA CHINGADERA

Tiene diversas aplicaciones. Veamos:
—Al ser presentado un escrito o convenio, en el
cual advierten condiciones no convenidas y lo re-
chazan.
—Despectivamente rechazando un objeto que se le
pondera, etc., etc.

ESTO SE LO LLEVÓ LA CHINGADA

Se dice:
—Cuando a un club entró la desorganización.
—Cuando una fábrica o negocio entró en quiebra.
—Cuando a una fiesta no acuden los invitados.

ESTO VALE PURA CHINGADA

Tiene diversas interpretaciones:

—Comentario cuando una fiesta resultó triste.

—Al referirse a un objeto que no vale nada, etc., etc.

ESTO VALE SETENTA CHINGADAS

Estimación semejante a lo que vale el polvo del camino.

ESTO VALE SIETE CHINGADAS

Estimación más deprimente, mucho menos valor.

ESTO VALE TRES CHINGADAS

Estimación más despectiva, menos valor todavía.

ESTO VALE UNA CHINGADA

Estimación sobre una cosa, que no vale gran cosa.

ESTOY QUE ME LLEVA LA CHINGADA

Persona que manifiesta a otra su estado de ánimo por alguna cosa que le fue adversa.

También se dice, cuando una persona se siente mal.

ESTRELLA CHINGONA

Para referirse a una estrella de cine de primera magnitud.

ESTRELLADO COMO LA CHINGADA

Noche en que las estrellas se ven muy claramente.

ESTRÉPITO DE LA CHINGADA

Ruidos extraordinarios, causados por un temblor. También cuando un grupo de gentes están haciendo destrozos en una cantina o en la calle. También los ruidos que hacen las caballadas en una calle en la noche.

ESTUDIA A LO "JIJO" DE LA CHINGADA

Comentario que hace un padre de familia al comentar los esfuerzos de su hijo en el estudio.

ESTUDIA PURA CHINGADA

Informe del maestro sobre un alumno que no estudia.

ES UN "JIJO" DE LA CHINGADA

Comentario al referirse a una persona de mala condición.

EXPLICA A LO "JIJO" DE LA CHINGADA

Un maestro que se esfuerza en hacer entender a sus alumnos.

EXPRIME A LO "JIJO" DE LA CHINGADA

Un exprimidor que saca el jugo hasta la teca de las naranjas.

FÁBRICA CHINGONA

Tiene diversas interpretaciones. Veamos:
—Una fábrica instalada con lo más moderno y que ocupa muchos obreros.
—Fábrica en la que se disimula mucho la calidad de sus productos.

FABRICA PURA CHINGADA

Comentario que hace una persona sobre una fábrica que presume hace tal o cual artículo y no lo hace.

FÁCIL COMO LA CHINGADA

Algo que parece complicado pero no lo es.

FAJADO COMO LA CHINGADA

Persona que se faja bien los pantalones.
Se dice también de aquella persona que no se intimida por nada.

FALDA CHINGONA

La falda que traen algunas artistas de canto popular tipo ranchero.

FALLA PURA CHINGADA

Cuando no falta nada de nada.
Cuando un motor, un coche, etc., etc., falla con frecuencia.

Cuando en la eficencia de un trabajo hay mucho que desear.

Cuando una máquina u otro aparato cualquiera trabaja correctamente.

FALSA COMO LA CHINGADA

Mujer de poca firmeza en sus actos, muy hipócrita.

FALTA A LO "JIJO" DE LA CHINGADA

Se interpreta de varios modos. Veamos:

—Cuando la distancia por salvar es muy grande.

—Cuando el faltante en una caja es de consideración.

—Cuando en una bodega faltan muchas cosas.

—Cuando falta más de la mitad por hacer, etc., etc.

FALTA UN CHINGUERO

Tiene diversas aplicaciones. Veamos:

—Cuando falta mucho por llegar a un lugar.

—Falta mucho terminar, un trabajo.

—Cuando falta mucho dinero en la caja, etc., etc.

FAMA CHINGONA

Firma, familia, etc., etc., tiene gran reputación.

FAMA DE LA CHINGADA

Firma, familia, etc., etc., de ningún prestigio.

FAMILIA CHINGONA

Se dice cuando es muy numerosa, de prestigio.

FANÁTICO HASTA LA CHINGADA

Una persona que es muy firme en sus ideas y pensamientos íntimos.

FARDO DE LA CHINGADA

Un bulto muy grande, que no nomás así lo cargan.

FÍA A LO "JIJO" DE LA CHINGADA

Comerciante que da crédito al cliente que lo pide.

FIERO COMO LA CHINGADA

Individuo feo, horroroso, repugnante, etc., etc.

FIESTA CHINGONA

Una gran fiesta donde todos quedaron contentos.

FÍJATE SI ESTÁN CHINGANDO

Indicación que hace un jefe a su subalterno cuando sospecha que lo están robando en el almacén. También un campesino a su hijo si están robando los elotes en la milpa. Y así sucesivamente cuando hay sospechas de robo o de algún daño.

FÍJATE SI SE ESTÁ CHINGANDO

Indicación que se hace a un operario al trabajar una máquina, cuando está a prueba. Indicación que hace el padre al hijo cuando no puede ir al campo, si la milpa se está secando por la sequía.

FILOSO COMO LA CHINGADA

Puñal bien afilado.

FIRMA CHINGONA

Firma de mucho pestigio en la banca y el comercio. También se dice de aquella firma personal que es muy difícil imitarla.

FIRME COMO LA CHINGADA

Tiene diversas aplicaciones. Veamos:
—Un soldado firme como una estatua.
—Un hombre que sostiene su palabra.
—Un color que no se despinta ni pierde su tono.
—El precio de un artículo en el mercado de valores.

FLACO COMO LA CHINGADA

Persona muy delgada. Se dice también de una persona que no es firme en sus ideas o creencias.

FLAUTISTA CHINGÓN
El que toca la flauta maravillosamente.

FLOJO COMO LA CHINGADA
Tiene varias interpretaciones. Veamos:
—El mercado de subsistencias.
—El mercado de valores.
—El movimiento comercial, etc., etc.
También se dice de una persona que no trabaja y no
hace mayor cosa en su vida.

FLOREA A LO "JIJO" DE LA CHINGADA
Persona que echa requiebros a las muchachas en
toda ocasión.

FLOTA COMO LA CHINGADA
Madera u otro objeto que se mantiene bien sobre el
agua.

FOCO CHINGÓN
Foco que da muy buena luz y a distancia.

FORRO CHINGÓN
El forro de buen material que tiene un abrigo u
otra prenda de vestir.

FORZADO COMO LA CHINGADA
Algo que entra dificultosamente en una parte.
Se dice también, cuando a una persona le obligan
a hacer un trabajo o acudir a un lado. Digamos por
compromiso.

FORZOSO COMO LA CHINGADA
Algo que es necesario hacer, imprescindiblemente,
con el pago a un banco, el pago de contribuciones,
sueldos, etc.

FRANCO COMO LA CHINGADA
Persona que es muy clara en sus cosas y no se anda
con medias tintas.

FRIJOL CHINGÓN
Frijol de muy buena clase.

FRIJOLERO COMO LA CHINGADA
Persona a la que le gusta comer frijoles.

FRÍO COMO LA CHINGADA
Estado del tiempo muy invernal. Mucho frío.
Se dice también cuando un alimento está frío.
Igualmente de un local.

FRITO COMO LA CHINGADA
Recomendación que se hace al pedir un platillo en
la casa, en un restaurant o en otra parte.

FUEGO A LO "JIJO" DE LA CHINGADA
En un incendio, cuando se extiende y resulta incontrolable.

FUERTE COMO LA CHINGADA
Hombre muy forzudo.

FUERZA CHINGONA
La que hace un ferrocarril, perdón, la locomotora
al arrancar.
La que hace un tractor grande al empujar rocas y
todo lo que encuentra a su paso.
Los motores de un impulsor para hacer subir a los
astronautas al espacio.

**FUISTE A LA FERIA Y TRAJISTE
PURAS CHINGADERAS**
Frase que se acostumbra decir cuando una persona
fue a una feria y trajo puras chucherías.

FUISTE A QUE TE CHINGARAN EN EL JUEGO
Indicación de una persona a otra cuando sabe que
allá donde fue no se juega limpio.

FUISTE POR PURAS CHINGADERAS

Tiene diversas aplicaciones. Veamos:

—Cuando ha acudido una persona a un citatorio por causas injustificadas.

—Cuando fue al mercado por cualquier cosa.

FUMA A LO "JIJO" DE LA CHINGADA

Persona que chupa cigarro tras cigarro.

FUNCIONA CHINGONAMENTE

Aparato que trabaja admirablemente.

FURIOSO COMO LA CHINGADA

Estado de una persona muy disgustada.

FUSTE CHINGÓN

Silla de montar a caballo de buena calidad y bien hecha.

GABÁN CHINGÓN

Tilmita de muy buena calidad que tiene una abertura longitudinal en medio como para pasar la cabeza de una persona y así quede sobre los hombros.

GABÁN DE LA CHINGADA

Cuando esta vestimenta está ya deshilachada y que no defiende el cuerpo del frío.

GABELA CHINGONA

Derechos municipales o estatales muy gravosos.

GACHO COMO LA CHINGADA

Se dice de persona que es muy "chueca" para hacer las cosas. Por ejemplo, un comerciante de abarrotes que le echa agua al alcohol que vende, los kilos de 900 gramos, las yardas por metros, y así en otras cosas. Se dice también, "está muy gacho" lo que está mal terminado, tosco un objeto o también un acto ejecutado de malas artes. No falta quien diga que la palabra gachupín, proviene de aquellos hispanos que sin vergüenza alguna abusaban de todo y de todos.

GALLINA CHINGONA

La gallina que es ponedora y a la vez muy grande.

GALLINERO CHINGÓN

El gallinero que está bien montado y cuenta con muchas gallinas y buenas.

GALLO CHINGÓN

El que es fino y grande, el que es de coraje para la pelea.

GAMARRA CHINGONA

Tiene diversas interpretaciones. Veamos:

—De una persona que tiene muy buenos apoyos en el gobierno o entre personas influyentes.

—Abrigo del tamaño de un saco de buena calidad.

GAMUZA CHINGONA

Gamuza legítima de venado de muy buena clase.

GANA A LO "JIJO" DE LA CHINGADA

Persona que gana mucho dinero en sus actividades.

GANA DE CHINGADERA

Gana, no por habilidad, sino porque lo favorece la suerte.

GANADO A LO "JIJO" DE LA CHINGADA

Región, rancho o paraje donde hay muy ganado por todos lados.

Se dice también, cuando una persona tiene mucho ganado.

GANADO CHINGÓN

Ganado de buena calidad.

GANAS CON PURAS CHINGADERAS

Gana dinero con cositas de poca monta. También se dice, cuando una persona gana dinero con malas artes.

GANAS DE ANDAR CON CHINGADERAS

Deseos de andar con malhechuras, con cosas de poca importancia.

GANAS DE ESTAR CHINGANDO

Ganas de estar molestando, perjudicando.

GANAS ME DAN DE CHINGARLO

Tiene diversas aplicaciones. Veamos:

—De una persona que adeuda y no paga, ejercer el cobro judicialmente embargándolo.

—De matar a una persona, un animal que perjudica, etc.

GANAS ME DAN DE IRME A LA CHINGADA

Cuando una presona está cansada de un lugar y piensa dejarlo, bien porque no gana suficiente, bien porque no le agrada el ambiente, etc., etc.

GANAS ME DAN DE MANDARLO A LA CHINGADA

Se dice:

Cuando una persona tiene encomendada una cosa y no se satisface de despacharla para su casa. Puede ser un mozo, un trabajador cualquiera, sea empleado, obrero, operador, mecánico, etc., etc.

Algunas personas, cuando sus hijos no se portan bien y quieren correrlos de su casa.

GANAS PURA CHINGADA

Decir a otro que no gana nada en lo que hace.

Al referirse a otra persona se dice "gana pura chingada", que se traduce, que no gana nada.

GANASTE DE PURA CHINGADERA

Canaste por casualidad, por suerte.

GANASTE PURA CHINGADA

Se traduce como diciendo que no ganó nada.

GANCHO CHINGÓN

Tiene diversas interpretaciones. Ejemplos:

—En una tienda cuando a un artículo le ponen un

precio bajo y así atraer clientela

—En una sala de juego, cuando el que maneja la baraja hace que gane una persona con la que está ¸de acuerdo para que así caigan incautos.

—El gancho que tienen los carniceros y soporta media res.

GANGRENA DE LA CHINGADA

Cuando a una persona se le declara y no queda otro otro recurso que el de cortarle un brazo, una pierna, etc.

GAÑÁN CHINGÓN

Tiene diversas aplicaciones. Veamos:

—El que sabe manejar la yunta y el arado con habilidad.

—El que sabe engañar al ranchero diciendo que sí le dio alimento a la yunta y sólo le dio la mitad, vendiendo el resto.

GARANTÍA CHINGONA

Cuando se exige con documentos avalados por otro en cantidad mayor que la adeudada.

GARRAPATA A LO CHINGADO

Cuando este animalito infesta en el ganado.

GARROTAZO CHINGÓN

Golpe dado con un buen palo dejándolo muerto.

GASTA A LO CHINGADO

Gasto que hace una persona sin mayor cuidado y mucho.

GASTA A LO "JIJO" DE LA CHINGADA

Persona que gasta dinero a manos llenas.

GASTO DE LA CHINGADA

Se dice de una casa, en un negocio el gasto es excesivo.

GATO CHINGÓN

Gato muy hábil para cazar ratones.
También se dice cuando no se preocupa de los ratones y pasa la vida sobre los sillones muy cómodamente.

GATO "JIJO" DE LA CHINGADA

Se dice de aquel que está haciéndose el disimulado y cuando menos se piensa se lleva un trozo de carne o de pollo, etc., etc.

GAVILÁN "JIJO" DE LA CHINGADA

Se dice cuando el gavilán se llevó un pollo del corral.

GAVILLA CHINGONA

Cuando el grupo de bandidos es numeroso.

GAVILLA "JIJA" DE LA CHINGADA

Al referirse a una gavilla que hace muchos perjuicios en vidas y bienes.

GENTE A LO "JIJO" DE LA CHINGADA

Es costumbre decir, cuando a una fiesta, a una feria ha acudido muchísima gente.
También se dice cuando el Presidente de la República, el gobernador u otro alto funcionario llega a una ciudad y acuden todas las gentes a recibirlo.

GETUDO COMO LA CHINGADA

Persona que pone mal gesto a todo lo que ve y oye.
Popularmente, es la persona que tiene labios grandes.

GOBERNADOR CHINGÓN

El gobernador que sabe manejar la cosa política en un estado, "atarantando" a sus habitantes con algunas obras. Es aquel también, que sabe lograr que la Federación invierta muchos millones en obras

públicas, carreteras, presas, hospitales, escuelas, etc.
De lo demás no se dice nada.

GOL CHINGÓN

Cuando un futbolista ha metido un gol con mucho
acierto, con mucha habilidad, etc., etc.

GOLPEA A LO "JIJO" DE LA CHINGADA

Se dice cuando anda algo suelta una biela en un
motor y hace ruido.

También de una puerta o ventana que golpea mucho
al hacer viento.

Se dice de un boxeador que golpea mucho a su
contrincante.

GOLPEADO HASTA LA CHINGADA

Persona que ha recibido golpes por todo el cuerpo.

GOLPE CHINGÓN

El dado a una persona y lo deja "patitieso".
Golpe chingón, se dice también de los boxeadores
que logran con un derechazo anular al competidor.

GOLPE DE LA CHINGADA

El golpe que ha recibido una persona y es de graves
consecuencias.

GORDO COMO LA CHINGADA

Persona excesivamente obesa.

GORRERO COMO LA CHINGADA

Persona que nunca paga y sí acepta cuanta invitación
se le hace.

GOTERAS A LO "JIJO" DE LA CHINGADA

Casa o lugar cubierto donde se cuela el agua por
todas partes cuando llueve.

GOZAN A LO CHINGADO

Grupo que se divierte a satisfacción y disfruta de la vida.

GOZAN CON CUALQUIER CHINGADERA

Grupo que se divierte con cualquier motivo.

GUACAMAYA CHINGONA

Guacamaya que es hermosa y habla hasta malas palabras que ha oído.

GUARAPO CHINGÓN

Bebida que sacan de la caña y que está muy alcoholizada, cuando es lograda de buen sabor.

GÜERA DE LA CHINGADA

Dama de pelo claro pero que es de mala condición.

GUISO CHINGÓN

Guiso sabroso, bien preparado.

GUISO DE LA CHINGADA

Guiso mal hecho, de sabor insípido.

GUITARRA CHINGONA

Guitarra de muy buena calidad.

GUSANERA DE LA CHINGADA

Cuando la carne o un animal tiene en la herida. muchos gusanos. Puede también tenerlos el queso.

GUSTO CHINGÓN

Persona que tiene muy buen gusto para hacer y preparar las cosas. Puede ser en una casa, en una comida, en la preparación de una fiesta, etc., etc.

GUSTO DE LA CHINGADA

Persona que no tiene gusto para nada, ni en el vestir, ni en la comida ni en su casa, etc., etc.

HABILIDOSO COMO LA CHINGADA
Persona que se acomoda a cualquier circunstancia.

HABLA A LO "JIJO" DE LA CHINGADA
Persona que habla horas y horas.

HABLA CHINGONAMENTE
De un orador que sabe sugestionar a las multitudes, que se expresa muy bien, que domina el lenguaje, etc.

HABLA PURAS CHINGADERAS
Persona que habla de cosas sin importancia o de acciones bajas.

HABLÓ PURA CHINGADA
Persona que no hizo uso de la palabra no obstante habérselo pedido.

HACEN LAS COSAS AL CHINGADAZO
Hacen las cosas a golpe y porrazo.

HACE PURA CHINGADA
Persona que no hace nada, ni dormir siquiera.

HACE PURAS CHINGADERAS
Persona que se dedica hacer trabajitos de poca importancia.
También se dice de aquella que sólo hace malas acciones.

HACE UN CALOR DE LA CHINGADA

Calor excesivo que no se puede soportar.

HACE UN FRÍO DE LA CHINGADA

Frío que llega hasta los huesos y no se aguanta.

HACE UN TIEMPO DE LA CHINGADA

Cuando el tiempo está lluvioso y no deja hacer nada.
Se dice también cuando está variable.

HAGO PURA CHINGADA

Negarse a hacer un trabajo que se encomienda.

HAMBRE DE LA CHINGADA

Cuando una persona tiene mucha hambre. Se dice
también cuando en un pueblo la gente no tiene que
comer.

HAY MUCHAS CHINGADERAS

Cuando en un lugar hay muchas cosas en qué entretenerse.
Se dice también cuando se han descubierto malos
manejos de una persona, de una empresa, etc., etc.

HAY PURA CHINGADA

No hay nada.

HAY PURAS CHINGADERAS

Se dice cuando en un lugar hay muchos enredos o
también cosas de poca importancia.

HAY QUE BUSCAR ESA CHINGADERA

Cuando es necesario buscar una cosa.

HAY QUE HACER ALGUNA CHINGADERA

Se dice cuando es necesario preparar algo bueno
para recibir al alto funcionario o persona que se
espera. También alguna travesura a cierta gente.

HAY UNA LUZ DE LA CHINGADA

Luz escasa en un local bien sea de noche como de día.

HAY UN OLOR DE LA CHINGADA

Cuando el ambiente se satura de mal olor, cuya intensidad no se soporta.

HAY UN PLEITO DE LA CHINGADA

Cuando se dice de un grupo que está discutiendo acaloradamente.

HECHO A LA PURA CHINGADERA

Un objeto, un trabajo que se hizo sin cuidado alguno.

HECHO DE LA CHINGADA

Al referirse a un hecho histórico en el que una de las partes hizo traición a su grupo o a la nación.

HEDIONDO COMO LA CHINGADA

Un lugar que apesta a diablos.

HELADA DE LA CHINGADA

Cuando en invierno cae una helada que hizo muchos perjuicios.

HELADA HASTA LA CHINGADA

Una cerveza del refrigerador que está congelada.

HELADO CHINGÓN

Helado muy sabroso.

HEREDA PURA CHINGADA

Se dice de una persona que no recibirá herencia.

HEREDÓ CHINGUEROS

Cuantiosa herencia.

HERENCIA CHINGADA

Una casa en ruinas, con muebles apolillados.

HERIDO A LA PURA CHINGADERA

Herido por una bala perdida o por tratar de separar dos personas que estaban peleando.

HERIDO HASTA LA CHINGADA

Herido de muerte.

HERVIDERO DE LA CHINGADA

Se dice de un volcán que hierve lava. También cuando en una fiesta la gente se mueve por todas partes.

HIJO DE LA CHINGADA

El diccionario español dice: Hijo de puta. Decimos nosotros: Hijo de padre desconocido y de mujer amiga de hacer favores sexuales.

Tiene también otras aplicaciones. Veamos:

—Cuando se dice como exclamación admirativa al ver a una mujer hermosa.

—Cuando admiramos un amplio y hermoso panorama.

—Cuando admiramos una cosa muy bonita, muy hermosa, muy complicada.

—Cuando observamos a una persona que está haciendo un trabajo complicado.

—Cuando creemos haber terminado y falta mucho,

—Cuando a nuestro lado pasa un auto como rayo.

—Cuando el viento es muy fuerte y nos arrastra.

—Cuando nos damos un golpe inesperadamente.

—Cuando estamos tirititando de frío.

—Cuando estamos asándonos de calor.

—Cuando tratamos de insultar (in mente) peligra de otro modo.

—Cuando el chile pica demasiado.

—Cuando observamos que una persona trabaja rápidamente.

—Cuando nos damos cuenta de que alguien nos está robando.

—Cuando tratamos de llevar o levantar algo que pesa mucho.

—Cuando escuchamos a un orador que se expresa con mucha elocuencia con frases que convencen.

—Cuando un trabajo nos resulta penoso y cansado.

—Cuando las cosas no nos resultan como queremos.

—Cuando nos traen demasiada comida.

—Cuando nos encomiendan un trabajo engorroso.

—Cuando algo está muy alto y no lo alcanzamos.

—Cuando alguien que está a nuestro servicio se fue sin hacer el trabajo o lo hizo mal.

—Cuando un plano o trabajo está muy complicado.

—Cuando tenemos un dolor muy agudo y no lo soportamos.

—Cuando la radio, la tele, los periódicos dan noticias muy alarmantes o sobre grandes desgracias ocurridas bien por ciclones, bien por terremotos, etc.,etc.

—Cuando una cuesta está muy pendiente y larga.

—Cuando tenemos que subir al quinto piso y no hay ascensor.

—Cuando vemos pasar un avión supersónico.

—Cuando entramos a un lugar y apesta a "rayos". Aquí se acabaron las letras pero todavía hay muchos casos en que se aplica la frase. Vr. gr.:

—Cuando vemos a una persona que escribe a máquina con rapidez.

—Cuando vemos a un policía que somete a golpes a un delincuente. Ahora sí, etc., etc.

HIJOS DE LA CHINGADA

Se dice al referirse a un grupo de gente mala.

HIPÓCRITA COMO LA CHINGADA

Persona falsa, de la que no se puede confiar, a la que no se puede creer nada.

HIPOTECA CHINGONA

La que hacemos cuando nos urge el dinero, que nos la formulan con garantías muy firmes.

HISTORIA DE LA CHINGADA

Relación que no está sujeta a la verdad.

HIZO PURA CHINGADA

No hizo nada de lo que se le encomendó.

HIZO PURAS CHINGADERAS

Para decir que una persona no hizo cosa de provecho. sino cosas indebidas.

HOCICO DE LA CHINGADA

Al referirse a los perros que son muy chatos sobre todo al bulldog inglés.
Se dice también de aquellas personas que son muy mal habladas.

HORARIO DE LA CHINGADA

Se dice cuando no nos agradan los establecidos en donde trabajamos, bien porque tenemos que estar muy temprano o de aquellos en que salimos muy noche.

HORNO CHINGÓN

Se dice de los que existen en los Altos Hornos, en las grandes fundiciones.
También al referirse a los que hay en las panaderías de calor eléctrico, muy bien montados.

HOYA DE LA CHINGADA (JOYA)

Se dice cuando en una calle hay un hoyanco profundo.
También en una montaña, en el campo, etc., etc.,

(hoyanco no es palabra admitida por la Academia de la Lengua).

HUBO CHINGADAZOS

Para decir que en determinado lugar hubo encuentro entre la policía y los bandidos o entre dos grupos enemigos, bien con armas de fuego, blancas o a golpes.

HUBO CHINGADERAS

Se dice cuando en una administración, en un club hubo malos manejos.

HUBO CHINGUEROS DE GENTE

Concurrencia numerosa de personas a un lugar.

HUELGA DE LA CHINGADA

Movimiento huelguístico de grandes consecuencias.

HUERTA CHINGONA

Huerta donde hay toda clase de árboles frutales y es al mismo tiempo extensa.

HUEVO CHINGÓN

El huevo que es hermoso y grande de mucha yema.

HUEVOS A LO "JIJO" DE LA CHINGADA

Grandes cantidades de huevo, saturando excesivamente el mercado.

HUIDIZO COMO LA CHINGADA

Persona que se escabulle en cuanto estima que lo van a molestar o pedirle algo.
También de los animales que huyen de las gentes.

HUMEDAD DE LA CHINGADA

Se dice cuando en una casa hay mucha humedad. Igual de una bodega. Humedad que perjudica, en una siembra, en un trabajo, etc., etc.

HUMILLADO HASTA LA CHINGADA

Persona que ha sido puesta en evidencia.

HUMOR CHINGÓN

Persona que siempre está con la sonrisa en los labios, dicharachera, bromista, etc., etc.

IDEA CHINGONA
Una buena idea.

IDEA DE LA CHINGADA
Ocurrencia fatal.

IDEALISTA COMO LA CHINGADA
Popularmente dicen "ideática" a una persona de ideas originales.

IDO COMO LA CHINGADA
Para referirse a una persona que está pensando en la luna.

IGNORANTE COMO LA CHINGADA
Persona que no sabe nada de nada.

IGUALADO COMO LA CHINGADA
Persona que no sabe guardar las distancias entre la categoría social.

ILUSIONADO COMO LA CHINGADA
Persona que espera hacer fortuna con algo que está haciendo. También el que está ilusionado con la novia creyendo que el matrimonio es una sucursal del cielo.

INCONFORME COMO LA CHINGADA
Persona que no se conforma así no más.

INDEPENDIENTE COMO LA CHINGADA

Persona que no le gusta someterse a nada que lo comprometa.

INFLA COMO LA CHINGADA

Una buena bomba de aire.

INFLADO COMO LA CHINGADA

Se dice de una persona fanfarrona, alzada, sin ninguna base.

INFLA PURA CHINGADA

Bomba de aire que no infla nada.

INFUNDIA DE LA CHINGADA

Se dice de cierta alarma infundada.

INTERESADO COMO LA CHINGADA

Persona que vive tras de aquello que le puede dar un beneficio pero que no da nada por su parte.

INTERESADO POR UNA CHINGADERA

Persona que anda tras de una insignificancia.

INVENTO CHINGÓN

Invento de mucha trascendencia.

INVENTÓ PURA CHINGADA

No inventó nada aunque se lo propuso y dijo hacer.

JABÓN CHINGÓN
Jabón de buena calidad, fino, que no quema.

JABÓN DE LA CHINGADA
Jabón corriente que se desbarata, no hace espuma
y se gasta pronto sin lavar casi nada.

JACALITO DE LA CHINGADA
Jacalito mísero.

JALÓN DE LA CHINGADA
Tiene diversas aplicaciones. Veamos:
—Se dice cuando un jefe, un padre, un superior
cualquiera llama poderosamente la atención a
un subalterno.
—Se dice también cuando una persona da un jalón
a una persona y lo tira al suelo.

JARDÍN CHINGÓN
Se dice del jardín que es muy hermoso y tiene toda
clase de flores.

JARDÍN DE LA CHINGADA
Se dice de aquellos que sólo tienen el nombre pero
que de jardín no tiene nada.

"JIJO" DE LA CHINGADA
Sinónimo de "hijo de la chingada", nada más que
dicho disimuladamente.

JITOMATE CHINGÓN

El que es de buena calidad, grande, liso.

JODIDO PERO CHINGÓN

El que aunque es pobre sabe vivir la vida.

JORNADA DE LA CHINGADA

Se dice cuando han tenido un día malo.

JUEGA A LA PURA CHINGADERA

Juega a ciegas, sin preferencia de figuras o números.

JUEGA A LO "JIJO" DE LA CHINGADA

Juega mucho, en grandes partidas de dinero.

JUEGA COMO LA CHINGADA

Juega sin ton ni son.

JUEGO CHINGÓN

Juego que no es limpio. También se dice en sentido contrario, cuando es divertido.

JUEZ CHINGÓN

El que dicta una sentencia justa.
También se dice en sentido inverso, el que saluda a las partes de mano a ver si se le pega algo.

JUGOSO COMO LA CHINGADA

Se dice de todo aquello que tiene mucho jugo.

JUNTA A LO "JIJO" DE LA CHINGADA

Persona que reune dinero para obras pías y lo logra en grandes partidas.

JUSTO COMO LA CHINGADA

Persona equitativa, idónea en su dictados.

KILO CHINGÓN

El que tienen en algunas tiendas por no decir que en todas.

KILÓMETROS A LO "JIJO" DE LA CHINGADA

Kilometraje recorrido en un viaje largo.

LA CHINGADA ESA LO DOMINÓ

Al señalar a una mujer que sugestionó totalmente a un hombre.

LA CHINGADA ESA VA A SER CAUSA DE QUE ME CHINGUEN

Al señalar a una mujer que va a ser causa de que lo encarcelen, o cuando menos lo perjudiquen.

LA CHINGADERA ESA NI HUELE NI "JIEDE"

Señalando a algo que le dicen perfume pero que no huele nada.

LA CHINGADERA EN QUE SE CHINGÓ

Señalando el coche en que encontró la muerte una persona. Puede ser también un equipo eléctrico que le causó la muerte. Puede ser también alguna otra máquina.

LA CHINGADERA ESA NO ANDA

Señalando un auto, una máquina, etc., etc., que no funciona.

LA CHINGADERA ESA VALE PURA CHINGADA

Señalando una cosa cualquiera que sea pero que no vale nada.

LA CHINGADERA ÉSTA NO SABE A NADA

Bebida que es como la caca de perico que ni huele "ni jiede".

LA CHINGADERA POR LA QUE SE CHINGÓ

Cuando se señala algo que fue la causa de la muerte de una persona o cuando menos su desgracia. También:

Señalando la causa por la que se echó a perder una máquina, o se volcó un coche, un camión de pasajeros, etc., etc.

LA CHINGADERA POR LA QUE TIENE QUE VENIR

Señalando el objeto por el cual tiene que venir una persona.

LA CHINGADERA QUE ME RECHINGÓ

Señalando la máquina que le cortó una mano, un brazo, etc.

LA CHINGADERA QUE NOS ESTÁ CHINGANDO

Se dice cuando conocemos la causa por la que nos están molestando, o nos trae males.

LA CHINGADERA QUE NOS VA A TRAER PLEITOS

Mostrando algo que nos va a traer dificultades.

LA CHINGADERA QUE VA A
SER CAUSA DE CHINGADERAS

Señalando algo que va a ser causa de disgustos, pleitos, etc., etc.

LACIO COMO LA CHINGADA

Se dice cuando una persona tiene el cabello lacio. Más bien muy lacio.

LA COSA ESTÁ DE LA CHINGADA

Se dice cuando una situación está complicada.

LA COSA NO ESTÁ PARA CHINGADERAS

Se dice cuando en tiempo de crisis no es posible gastar dinero por gastar. Que las circunstancias no están para bromas, etc., etc.

LA COSA SE PUSO DE LA CHINGADA

Se dice cuando se han complicado las cosas y la situación es incierta, en política, en las finanzas, en el comercio. Más precisamente cuando las circunstancias son adversas.

LADRA A LO "JIJO" DE LA CHINGADA

Perro que ladra al menor ruido que escucha. También cuando ladra sin ton ni son. Ladra mucho.

LADRÓN COMO LA CHINGADA

Al referirse a una persona a quien se califica de no ser honrado y le gusta lo ajeno.

LAMBISCÓN COMO LA CHINGADA

Persona que siempre anda pagando las copas o poniéndole la silla a un superior, o dándole aire cuando hace calor o haciéndole toda clase de mandados aun los privados o confidenciales de cierta intimidad aunque no perciba por ello estipendio alguno.

LA MERA VERDAD SON CHINGADERAS

Frase que denota disgusto, inconformidad. Ejemplos:
—Cuando en un club los principales de la directiva hacen y deshacen sin tomar en cuenta los reglamentos ni el parecer de los socios.
—Cuando los agentes de tránsito por cualquier motivo exigen la licencia, o quitan las placas del vehículo.
—Cuando las autoridades expiden reglamentos vengan o no en bien de la comunidad.
—Cuando los maestros exigen a los estudiantes uniformes de telas de calidad sin tomar en cuenta la situación económica de sus padres.

—Cuando el gobierno fija precios a los artículos
a niveles menores del costo.

—Cuando suben los pasajes en los camiones sin
que haya motivo que lo justifique.

—Las parejas de novios besándose en los parques
sin importarles que los están mirando.

—Las revistas pornográficas que venden en los
puestos de periódicos sin que la autoridad los re-
prima un poco.

—Los trabajadores exigiendo el cumplimiento de
la ley de trabajo cuando ellos no cumplen con
sus obligaciones.

—El jefe de la oficina invitando a sus secretarias
cuando sabe que el novio las espera.

—El fisco cuando suben las contribuciones aunque
la situación económica general sea mala.

—Los políticos ofreciendo lo que no pueden cumplir.

—Los periódicos esparciendo noticias exageradas y
alarmantes, espantando a las gentes.

—Los jefes de taller exigiendo a los trabajadores
un trabajo sin tener la herramienta adecuada.

—Los choferes de camiones de primera metiendo
gente que ya no cabe.

—Los dueños de las casas subiendo las contribuciones o rentas sin hacer mejoras ni remiendos.

LA MISMA CHINGADERA

—Cuando en un pueblo los programas de cine son
los mismos un día y otro.

—Lo mismo se dice de un circo que todos los años
hace lo mismo.

—Se dice también cuando una persona vuelve a las
andadas o hace las mismas cosas siempre.

—Lo que se comenta entre las gentes que aunque se
cambian las autoridades las cosas siguen igual.

LA MUY "JIJA" DE LA CHINGADA

Expresión que manifiesta rencor sobre una persona que le ha causado daño: una decepción.

LAMPIÑO COMO LA CHINGADA

Persona que no tiene barba ni bigote no obstante ser un hombre normal

LARGO COMO LA CHINGADA

Algo que es muy largo. Un camino por ejemplo. Se dice también cuando una persona es muy lista y ve lejos.

LÁRGUESE A LA CHINGADA

Despachar con cajas destempladas de un lugar a un sujeto.

LÁRGUESEME MUCHO A LA CHINGADA

Tiene el mismo significado que la frase anterior aunque lleva más enjundia. La diferencia consiste en que la primera puede ser dicha más ligeramente y la segunda con más fuerza en la expresión.

LAZO "JIJO" DE LA CHINGADA

Un lazo a una bestia llevado a cabo con maestría. Se dice también de un mecate enredado y que por más esfuerzo que se hace no se logra ponerlo bien para lo que se quiere atar.

LE DIERON DE CHINGADAZOS

Se dice cuando a una persona le dieron de golpes.

LE DIO UN CHINGADAZO POR UNA CHINGADERA

Le dio un fuerte golpe por una insignificancia.

LECHUGA A LO "JIJO" DE LA CHINGADA

Cuando en el mercado hay abundancia. También cuando una torta lleva más lechuga que algún comestible.

LECHUGA "JIJA" DE LA CHINGADA
Cuando estimamos que la lechuga nos hizo daño.

LEJOS COMO LA CHINGADA
Lugar que está a mucha distancia.

LENGUA "JIJA" DE LA CHINGADA
Lengua viperina.

LE QUEDÓ DE LA CHINGADA
Se dice cuando a una persona no le quedó bien un traje, un sombrero, el arreglo de una casa, el arreglo de un coche, etc., etc.

LE SALIÓ DE PURA CHINGADERA
Cuando la lotería lo favoreció. También se dice cuando una persona logra hacer algo por casualidad.

LETRA CHINGONA
Muy buena letra.

LETRA DE LA CHINGADA
Es aquella que al poco tiempo de escrita, no sabe lo que dice ni el mismo que la escribió. Muy mala.

LE VA A SALIR CON PURAS CHINGADERAS
Comentario que se hace sobre una persona que se sabe que no es formal y el otro no la conoce.

LE VA A SALIR DE LA CHINGADA
Cuando una persona hace un trato para algo que se propone y no le va a dar resultado. También se aplica caundo estima que va a sacar una ventaja en un trato, le resulta lo contrario.

LE VA A TOCAR PURA CHINGADA DE HERENCIA
Da a entender que no recibirá herencia alguna.

LE VALE PURA CHINGADA
Se dice de aquella persona que espera que el vali-

miento de otra lo libere de alguna multa, pero no le resulta así.

También se dice cuando una persona por ser quien es, no va a ser castigada; pero ante la autoridad no le conceden ninguna ventaja ni valimiento.

LÍA A LO "JIJO" DE LA CHINGADA

Persona que con algún mecate, envuelve y sujeta los bultos con rapidez.

LIBERAL COMO LA CHINGADA

Persona que no tiene prejuicios de niguna clase.

LIBRE COMO LA CHINGADA

Persona a la que no ata ningún compromiso.

LIBRO CHINGÓN

Un gran libro. Instructivo, eficaz, veraz, etc.

LIBRO DE CHINGADERAS

Es el que trata de cosas indecentes o de asuntos que no tienen importancia alguna.

LIMONES A LO "JIJO" DE LA CHINGADA

Cuando la cosecha se viene buena, cuando hay abundancia en el mercado.

LIMPIA A LO "JIJO" DE LA CHINGADA

Se dice de algo que limpia muy bien.

LIMPIO COMO LA CHINGADA

Se dice de un coche, de una persona muy pulcra.

LOCO COMO LA CHINGADA

Se dice de una persona que no razona correctamente. También se aplica a las personas que no se miran para hacer las cosas por sus ocurrencias.

LO CHINGARON

Se dice cuando a una persona lo mataron, le causaron un perjuicio, le ganaron en el juego, le pagaron a menos precio que el debido, que lo engañaron, etc.

LO CHINGARON A LO "JIJO" DE LA CHINGADA
Cuando se comenta que a una persona le dañaron mucho a golpes, a un comerciante cuando le robaron mucho dinero o mercancía o ambas cosas, etc., etc.

LO CHINGARON POR SUS CHINGADERAS
Persona que fue castigada o muerta por sus fechorías.

LO MANDABA A CHINGADAZOS
Se dice cuando se sabe que una persona trataba a golpes a su familia o sus sirvientes al mandarlos a hacer un trabajo o cualquier cosa.

LO MANDÉ A LA CHINGADA
Comentario que se hace cuando una persona que fue a solicitar algo no fue satisfecha o atendida.

LONA CHINGONA
Tela impermeable con la que se cubren los camiones y que son de muy buena calidad y amplias.

LORO CHINGÓN
Loro que es un dicharachero.

LOS CHINGADAZOS LO COMPUSIERON
Se dice de aquella persona que los golpes de la vida la hicieron que se enmendara.

LOS CHINGADAZOS QUE LE DIERON LO CHINGARON
Se dice cuando los golpes causaron la muerte.

LO VI CHINGO DE VECES
Lo vio muchas veces.

LO VI PURA CHINGADA
Se dice cuando la policía asegura que una persona

vio al delincuente y ésta se niega a decirlo.

LUJO DE LA CHINGADA

Cuando en una casa, en una fiesta, etc., etc., se hace alarde de lujo.

LUNA CHINGONA

Cuando la luna luce muy clara.

LUTO DE LA CHINGADA

Cuando una familia lo observa rigurosamente.

LUZ A LO "JIJO" DE LA CHINGADA

Cuando en una ciudad, en un almacén, en una casa hay luz en abundancia.

LLAGA DE LA CHINGADA

Se dice cuando una persona tiene una llaga de la que no se puede jurar.

LLANO CHINGÓN

Se dice cuando una explanada es extensa, grande.

LLAVE CHINGONA

Se dice de una llave que difícilmente la igualan. También se aplica cuando en la lucha libre uno de los que están luchando aplica una llave que hace rendirse al otro.

LLENO COMO LA CHINGADA

Un salón, un cine, un teatro, etc., etc., está hasta los topes de gente.

También cuando un comerciante tiene su almacén totalmente lleno.

Puede también aplicarse a un ómnibus, a un objeto cualquiera.

LLEVA A LO "JIJO" DE LA CHINGADA

Persona que lleva muchas cosas compradas de un almacén.

LLORA A LO "JIJO" DE LA CHINGADA

Se dice de una viuda que llora mucho a su esposo. De un niño que llora a cada rato.

LLORA POR CUALQUIER CHINGADERA

Se dice cuando una persona o un infante llora por cualquier cosa.

LLUEVE A LO "JIJO" DE LA CHINGADA

Llueve casi todos los días.

LLUEVE CHINGADATALES

Llueve a cántaros.

LLUEVE CHINGUEROS

Llueve mucho.

LLUEVE PURA CHINGADA

No llueve nada.

MACHACA A LO "JIJO" DE LA CHINGADA
Individuo que machaca todo el día.

MACHACA COMO LA CHINGADA
Machaca bien.

MACHETE CHINGÓN
Machete que tiene una buena hoja y suena fino.

MACHO COMO LA CHINGADA
Individuo que no se raja por nada. Muy hombre.

MADERA DURA COMO LA CHINGADA
Madera que es muy dura.

MADRE CHINGONA
Madre sufrida y abnegada.

MADRUGA A LO "JIJO" DE LA CHINGADA
Persona que madruga mucho.

MADURO COMO LA CHINGADA
Fruta que está ya para comerse.

MAESTRO CHINGÓN
Maestro que sabe su profesión.

MALDITO COMO LA CHINGADA
Maldecido por las gentes.

MALEA A LO "JIJO" DE LA CHINGADA

Persona que con su manera de ser y su ejemplo está dañando la moral de las gentes.

MALENCARADO COMO LA CHINGADA

Persona que tiene aspecto de ser malo. Aspecto de una persona que repele.

MAL HABLADO COMO LA CHINGADA

El que no sabe hablar más que insolencias.

MALO COMO LA CHINGADA

Persona pérfida.

MAL PENSADO COMO LA CHINGADA

Individuo que no tiene un buen pensamiento y por ello no está capacitado para que los demás puedan pensar bien.

MANDA A LA PURA CHINGADERA

Persona que no sabe ordenar y lo hace sin reflexión.

MANEJA A LA PURA CHINGADERA

Persona que maneja sin cuidado alguno.

MANEJA CHINGONAMENTE

Maneja muy bien.

MANEJA DE LA CHINGADA

Maneja muy mal.

MANGA CHINGONA

Impermeable de charro muy bueno.

MANIFESTACIÓN CHINGONA

Una gran manifestación.

MANIFESTACION DE LA CHINGADA

Una manifestación desordenada y escandalosa.

MANO CHINGONA

La persona que es de buena mano.

MANO DE LA CHINGADA

Persona que tiene mano mala.

MANSO COMO LA CHINGADA

Animal muy manso que se deja hacer todo lo que se quiere con él. Un caballo manso, un perro, etc., etc.

MANTO CHINGÓN

Prenda de buena calidad que usan las mujeres.

MANZANA CHINGONA

Manzana de calidad.

MANZANO CHINGÓN

Arbol que da muchas y buenas manzanas.

MATA A LA PURA CHINGADERA

Persona que mata sin pensarlo bien.

MATA POR PURAS CHINGADERAS

Persona que mata por cualquier motivo.

MAZORCA CHINGONA

Mazorca de más de 25 cmts. y 24 líneas.

MAZORCA DE LA CHINGADA

Mazorca que le hizo falta el agua y está raquítica.

ME CAGO EN LA CHINGADA

Esta frase no es mexicana pura, porque huele, no a lo defecado sino a "ME CAGO EN DIEZ, COÑO", de los iberos. Es muy común entre los mexicanos ligados con los hispanos por sus actividades comerciales o sociales. Es una mixtificación de la frase mexicana "Me lleva la Chingada". De todas formas la frase titulada tiene diversas aplicaciones. Veamos:

—Cuando a un patrón le informan que no pagó
        fulana aun cuando lo haya prometido.

—Cuando se espera una cosa y resulta otra.

—Cuando se pone a llover a cántaros al salir de
casa, si no tenemos coche.

—Cuando baja el precio de una mercancía de la
cual están abarrotados.

—De igual modo cuando sube el precio después de
haberse agotado las existencias

—Cuando después de haber preparado una buena
comida a un individuo nos dice que no puede
acudir.

—Cuando se quiere saber la hora y el reloj está
parado.

—Cuando después de esperar un autobús mucho
tiempo no hay asientos libres y no nos dejan
subir.

—Cuando interesados en leer una noticia en los
periódicos nos dicen que ya se acabaron.

—Cuando pierde el equipo favorito.

—Cuando estando en la calle empieza a llover y nos
damos cuenta que dejamos en la oficina el impermeable o el paraguas.

—Cuando nos damos cuenta en el cine de que se
nos ha pegado un chicle en las asentaderas.

—Cuando a un comerciante le informan que está
entrando el agua en la bodega.

—Cuando le informan que un enemigo anda con su
hija muy amartelado.

—Cuando le insiste la familia que quiere un televi-
sor de colores cuando no se tiene dinero disponible.

—Cuando le informan que su novia anda con uno
más rico que él.

—Cuando se informa que se le viene encima un
embargo por haber avalado a otro.

—Cuando a una persona le niega algo cuando sabe
que sí lo tiene.

—Cuando a un comerciante le dicen los inspectores
que tiene que vender más barato.

—Cuando el premio mayor cayó en el 4,956 y tenemos el 4,957.

—Cuando tratando de hacer entender a una persona,
ésta después de mucho rato entendió al revés.

—Cuando después de haber concertado con la novia
ir al cine ésta le dice por teléfono que va a ir con
su primo.

—Cuando creyendo tener dinero para pagar en un
restaurante, resulta que no le alcanza.

—Cuando teniendo prisa no viene un camión o coche
de ruleteo y el tiempo está pasando.

—Cuando al tratar de comprar una medicina nos
exigen la receta de un médico.

Y como se acabaron las letras aquí "la paramos".

ME CONTARON TODAS TUS CHINGADERAS

Un padre, un amigo que al enterarse de las fecho-
chorías hechas lo comenta agriamente.

También cuando la esposa sabe en los líos en que
se ha metido su esposo con otras mujeres.

ME CHINGAN CADA RATO

Se dice:

—Cuando los agentes de tránsito no le pasan ninguna infracción.

—Un comerciante al que a cada rato lo multan.

—En una fábrica haciéndole trabajar horas extras,
etc., etc.

ME CHINGARON

Se dice:

—Cuando un político espera una diputación y otros
le ganaron.

—En el juego (in mente), cuando se da cuenta de
que perdió, etc., etc.

ME CHINGO A MÁS DE CUATRO

Es un decir de un bravucón, cuando le informan
que lo van a cercar.

ME CHINGO A TRABAJAR

Comentario que hace una persona a otra cuando le
comentan que ha hecho mucho dinero.

ME CHINGO MUCHO

Se dice:
—Cuando se trabaja mucho.
—Las manos en un trabajo en que se maneja ácido,
al no haber guantes apropiados, etc., etc.

ME CHINGUÉ TODA LA VIDA

Un viejo que dice trabajó toda su vida.

ME DICEN QUE VA HABER CHINGADERAS

Cuando entre políticos de campanario están haciendo
un enjuague y no falta quien lo sepa, etc., etc.

ME DICEN QUE VAN A HABER CHINGADAZOS

Se dice cuando hay rumores de algún encuentro
entre la policía y los estudiantes, con los huelguistas,
entre enemigos, etc., etc.

MEDICINA CHINGONA

Buena medicina que cura a un enfermo.

MEDICINA DE LA CHINGADA

Medicina que si por un lado cura al enfermo por
otro le perjudica.

ME DIJERON UNA ENSARTA DE CHINGADERAS

El cobrador que regresa a su oficina y dice las
palabrotas que le aplicaron al cobrar el abono del
tocadiscos que cada rato se descompone, etc., etc.

ME ESTÁ LLEVANDO LA CHINGADA

Es muy común decir cuando:

—Cuando nos sentimos enfermos.

—Cuando sabe la esposa que andamos con otra y no nos deja ni a sol ni a sombra.

—En la oficina porque tuvo disgusto con el jefe a causa de la secretaria.

—Con un catarro que no nos deja salir.

—Con la novia, porque quiere que la lleve al cine todos los días y no me alcanza el sueldo.

—Con la suegra porque quiere que sólo salga con su hija y cuando salgo tiene que venirnos acompañando, etc., etc.

ME ESTÁS RECHINGANDO MUCHO

Se dice, cuando una persona cada rato va a molestar a un amigo, al cansarlo con sus impertinencias.

ME LA CHINGASTE

Una persona a otra, al decirle que le ha ganado su novia. También se dice cuando le afirman a una persona que le ha robado tal o cual cosa.

ME LLEVA LA CHINGADA

Ya dijimos en el comentario anterior que esta frase es la legítima mexicana y por lo tanto tiene lo suyo. Veamos:

—Cuando en un restaurant pedimos chile molido y nos dicen que no hay molcajete.

—Cuando recibe una carta diciendo que no pueden mandarle una mercancía si es que no paga de contado.

—Cuando hay programada una gran corrida de toros y amenaza una tormenta.

—Cuando después de mucho esperar, el ruletero le dice que no le puede llevar porque ya no es su hora.

—Cuando al equivocarnos en una cuenta, la repetimos y de todas formas nos sale mal.

—Cuando vamos a cobrar y nos dicen que ya pasó
la hora, etc., etc.

ME LLEVÓ LA CHINGADA

Tiene diversas aplicaciones. Veamos:

—Con la novia porque supo que estoy metido con
una mujer muy consecuente.

—Con el jefe porque supo que yo también andaba
con su secretaria. Ella me invitó para darle celos.

—Porque me corrieron del empleo.

—Porque me embargaron el coche (me recogieron).

—Porque se murió quien me apoyaba en la política.

—Porque se murió el suegro y a mi mujer no le dio
herencia porque se casó conmigo contra su voluntad.

—Cuando nos dicen que tenemos una enfermedad
incurable, etc., etc.

MENSAJE DE LA CHINGADA

Parte que reciben los militares de ejecutar a un
prisionero. Mensaje que recibe una persona con
noticias fatales o cuando menos de malas noticias.

ME SABE DE LA CHINGADA

Se dice:

Al tomar un medicina, al tomar una bebida que
nos recomendaron, el tener que ir a trabajar, etc., etc.

ME SALES SIEMPRE CON CHINGADERAS

Comentario que se hace al decir a una persona que
le sale siempre con evasivas.

ME TENÍAS QUE SALIR CON ESA CHINGADERA

Se dice:

—Cuando una joven que disfrutando de muchas
libertades le ha fallado la píldora e informa a su
padre.

—Cuando una persona debe más de diez mil pesos

y al salir que va pagar en abonos entrega $50.00,
etc., etc.

METIDO HASTA LA CHINGADA

Tiene diversas interpretaciones. Veamos:

—Al referirse a una persona que dice no está en relaciones con una muchacha y de su casa no sale.

—Cuando una persona dice no le interesa la política y es quien maneja por debajo la del Estado.

—Cuando una persona dice que nada tiene que ver en un pleito y es quien azuza a una de las partes,
etc., etc.

ME TOCÓ PURA CHINGADA

Se dice cuando se ha jugado a la lotería y no le tocó ni siquiera reintegro.

ME VA A LLEVAR LA CHINGADA

Cuando un comerciante dice "in mente" al darse cuenta de su desastrosa situación económica.

MIEDO DE LA CHINGADA

Se dice cuando cunde el terror por alguna causa.

MIENTE A LO "JIJO" DE LA CHINGADA

Persona que nunca dice la verdad. Que miente mucho.

MIRA COMO LA CHINGADA

Persona que tiene un mirar que da cierto temor.

MIRA LAS CHINGADERAS QUE HICISTE CON TUS CHINGADERAS

Una autoridad cuando muestra a un delincuente las consecuencias de su fechorías.

MIRA TUS CHINGADERAS

Indicaciones que hace un jefe a un obrero mostrándole su pésimo trabajo.

MITOTE DE LA CHINGADA

Cuando ha habido un escándalo "padre".

MODA DE LA CHINGADA

Comentario que hace un padre de familia que todavía vive "a la antigüita", al ver que las mujeres ya
les falta poco para que enseñen todo.

MOJADO COMO LA CHINGADA

Persona que llega totalmente mojada hasta los huesos.

MOLINO CHINGÓN

Un buen molino de nixtamal, que muele mucho y
bien.

MONTE DE LA CHINGADA

Expresión de un cazador al referirse a un monte
cerrado de arbustos o de árboles.

MUCHO ME CHINGA

—El que tenga que madrugar para ir al trabajo.

—El tener que desvelarme por fuerza.

—El tener que estar pendiente de todo el que entra
o sale.

—El tener que dormir en el sofá o en el suelo.

—El tener que aguantar a la gente sus impertinencias.

—El ganado ajeno, cuando nos causa daños en la
milpa.

—El zapato cuando nos aprieta y nos hace callos.

—El tener que andar por la calle cuando está lloviendo.

—El tener que "navegar" con los hijos.

—El tener que ir al mercado porque la mujer no
puede.

—El cine porque me hace daño a la vista.

—El que nos traigan en vueltas por causas ajenas.

—El tener que comer a determinada hora y no tenemos hambre.

—El tener que ir a las juntas del sindicato nomás
a oir.

—El tener que trabajar con una máquina que no sirve.

—El tener que trabajar cuando estamos ya cansados.

—El tener que estar callado en la oficina.

—El tener que aguantar los gritos y lloros de los niños vecinos.

—El tener que soportar las impertinencias de la suegra.

—El tener que ir por fuerza a los desfiles.

—El trabajar horas corridas.

—El tener que comer a la fuerza la comida que nos dan.

—El tener que presentarse en la oficina bien vestidos.

—El tener que aguantar el frío donde trabajamos.

—El tener que limpiar lo que otros han ensuciado.

—El tener que hacer lo que otros no hicieron.

—El tener que aguantar los captrichos de la secretaria del jefe.

Y así sucesivamente todos los casos que nos molestan.

MUCHO ME ESTÁ CHINGANDO

Esta frase tiene diversas aplicaciones. Veamos:

—La muela cuando nos duele mucho.

—La radio del vecino cuando está a todo volumen y no nos deja dormir.

—El amigo cuando cada rato nos pide prestado.

—La lluvia cuando no tenemos coche y tenemos que esperar el camión.

—El agua cuando se cuela de la azotea.

—El agua cuando no nos deja hacer la cosecha.

—El viento cuando zarandea las ventanas y no nos deja dormir.

—El viento cuando estando la ventana abierta vuela los papeles de la oficina.

—El calor cuando nuestra profesión es trabajar en la calle y tenemos que andar a pie cuadras y cuadras.

—El frío, cuando tenemos que madrugar por fuerza.

—El gobierno, cuando a nuestro juicio nos cobra pesadas contribuciones.

—El trabajo cuando ya nuestra salud está quebrantada.

—La mujer, cuando nos exige más de lo que podemos darle.

—La amiga de la novia, cuando se empeña en acompañarnos.

—El hermanito de la novia, cuando no nos deja ni a sol ni a sombra, no obstante le damos para que vaya a comprar su helado.

—El dueño de la casa, cuando cada rato hace visitas para inspeccionar su estado.

—El cobrador, cuando diariamente está a nuestra puerta.

—El político, cuando a cada rato quiere que vayamos a hacer "bola".

—El presidente municipal, cuando a cada rato nos da comisiones "honorarias".

—El agente de tránsito, cuando a cada rato nos pide la licencia.

—El agente de publicidad cuando a cada rato está encima.

—El cigarro por lo mucho que fumo.

—La desvelada por tener que trabajar de noche.

—El hermanito de la novia cuando al despedirnos está pendiente.

—La bebida, porque me hace daño al hígado.

—El viaje, cuando somos agentes viajeros.

—El jefe, cuando no llegamos a la hora.

—El patrón, cuando por cualquier cosa nos regaña,
etc., etc.

MURIÓ POR CAUSA DE CHINGADERAS
Persona que ha fallecido a causa de disgustos.

MURIÓ POR CUALQUIER CHINGADERA
Persona que ha fallecido por una causa insignificante.

MÚSICA CHINGONA
Música alegre.

MÚSICA DE LA CHINGADA
Expresión de un viejo al escuchar la música moderna
recordando los tiempos de los valses.

NARANJA CHINGONA

Naranja de buena calidad.

NARANJO CHINGÓN

Arbol, naranjo de gran producción.

NAVAJA CHINGONA

Navaja de buen filo y buen acero.

NAVAJA DE LA CHINGADA

Navajita de vil fierro.

NEGRO COMO LA CHINGADA

Sujeto que es más negro que el carbón.

NEVÓ A LO "JIJO" DE LA CHINGADA

Una gran nevada que cubrió los campos.

NEVÓ DE PURA CHINGADERA

Nevada por casualidad, inesperada.

NIDO CHINGÓN

Un nido de pájaro hecho maravillosamente.

NIEBLA DE LA CHINGADA

Niebla muy cerrada que no permite ver a distancia.

NIEGA A LO "JIJO" DE LA CHINGADA

Reo que niega rotundamente de lo que es acusado.

NI QUE FUERA TAN CHINGÓN

Se dice:

—Cuando le cobran honorarios muy altos.

—Cuando hacen una colecta para honrar a una
persona.

—Cuando en los periódicos alaban a una persona
y le conocen lo "canijo" que es, etc., etc.

NI QUE VALIERA TANTO ESA CHINGADERA

Comentario que se hace cuando se trata de hacer
que pague una persona algo que ha roto.

NI TANTO QUE LA CHINGARON
PARA QUE ESTÉN CHINGANDO TANTO

Comentario de una autoridad cuando alguien está
cobrando daños y perjuicios.

NOCHE DE LA CHINGADA

Una noche de contratiempos.

NO ES LO MISMO LA CHINGADA DE LA MIRAVETE
QUE MIRA VETE A LA CHINGADA

No es lo mismo aquella mujer malvada, que decir
a otro que se vaya.

NO ESTÁ EL ENFERMO PARA CHINGADERAS

Se dice cuando los muchachos quieren hacer una
fiesta en la casa y hay un enfermo grave.

NO ESTÉS PENSANDO EN CHINGADERAS

Observación que se hace a una persona que está
pensando en travesuras.

NO HACE MÁS QUE CHINGADERAS

Comentario sobre una persona que no hace cosa
buena. Asimismo también de que no hace más que
chucherías.

NO HAGAS CHINGADERAS

Consejo a una persona para que no haga trastadas.

NO LA CHINGUES

Es una exclamación muy general. Ejemplos:

—Cuando un amigo comunica a otro. Se casó fulana.

—Que perengano se compró un carro nuevo.

—Cuando alguien quiere formar una máquina.

—Al saber que alguien se sacó la lotería.

—Al saber que nuestra amiga salió para Acapulco.

—Al decir que no arranca el coche.

—Al informar que se murió un amigo.

—Al informar que fulano se postula para diputado.

—Al informar que un amigo se estrelló en su coche.

—Al decir que fulana va tener un niño sin casarse.

—Al decir que el equipo favorito perdió el partido.

—Al comentar que se perdió la cosecha de jitomate.

—Al decir que nuestra amiga tuvo triates.

—Al informar que apareció una plaga en el campo.

—Al informar que robaron la casa de un amigo.

—Al informar que la carretera está interceptada.

—Al informar que la carrera la ganó nuestro competidor.

—Al informar que se van a casa nuestros primos.

—Al informar que van a embargar a un amigo.

—Al informar que pelearon nuestro amigo y su enemigo.

—Al informar que la presa no tiene agua.

—Al informar que ya no quiere "jalar" el tractor.

—Al informar que se murió la becerra.

—Al informar que no se terminó el trabajo de siembra.

—Al informar que se perdió el pleito.

—Al decir que hasta otro día pagarán la quincena.

—Al informar que ya no hay trabajo.

—Al informar que ya no va haber corrida de camiones.

—Al informar que no se encontró lo que mucho se buscaba.

—Al informar que fulano se fugó de la cárcel.

—Al informar que nuestro amigo mató a otro.

—Al cobrar a un buen amigo su deuda.

—Al saberse que los gringos llegaron a la luna.

—Que robaron el toro del potrero.

—Al saberse que a un amigo le quitaron la chamba.

—Al saberse que a nuestro compadre le tiran la casa para ampliar la calle.

—Al saberse que el hermanito de la novia se rompió un pie.

—Al saberse que van a hacer la carretera al pueblo.

—Cuando nuestro amigo quiere seguir bebiendo.

—Cuando nos informan que el suegro está muy grave.

—Cuando nos dicen que nos van a trasladar a otra parte.

—Cuando nos dicen que nos van a dar la chamba esperada.

—Cuando nos dicen que vamos a hacer un trabajo extra cuando tenemos una cita con la novia.

—Cuando nos dicen que una muchacha está interesada en uno y así sucesivamente. Tras de una información de las detalladas y en otros muchos casos se dice: "No la chingues".

NO LE'AUNQUE LOS CHINGADOS ESOS ESTÉN CHINGUE Y CHINGUE DICIENDO QUE ME VAN A CHINGAR SI NO ME CASO CON SU CHINGADA HERMANA; YO ME CASO PURA CHINGADA. AUNQUE ME LLEVA LA CHINGADA, PORQUE OTRO MÁS CHINGÓN, YA SE LA HABÍA CHINGADO ANTES DE QUE YO ME LA CHINGARA, Y YO PURA CHINGADA LO SABÍA, ASÍ QUE SE DEJEN DE CHINGADERAS

No obstante que esos amigos andan diciendo que me van a matar si no me caso con su desgraciada hermana, yo de ninguna manera me caso aunque me maten, porque antes de que tuviera que ver conmigo ya había fornicado con otro más audaz que yo, lo que yo no sabía, por lo que es mejor que se dejen de habladas.

NO LE HACE MÁS QUE PURA CHINGADA

Es muy común decir cuando:

—Un político está gestionando que destituyan a cierto funcionario que está bien "amarrado".

—Cuando un político está buscando la manera de asegurarse la diputación mientras otro tiene buenas palancas.

—Cuando dos toros están luchando y sabemos que el nuestro es más muerte. Esto puede aplicarse a nuestro favorito en una lucha o en el boxeo, etc., etc.

NO LE HACE QUE SE CHINGUE, AL FIN YA SE LO IBA A LLEVAR LA CHINGADA

Esta frase tiene muchas interpretaciones:

—Una persona que está desahuciada de los médicos por un mal incurable se emborracha a sabiendas de que le hace mucho mal.

—Un político que está fuera de órbita pero que está gastando dinero con alguna esperanza y otros saben que está perdido.

—Una máquina que está desgastándose por una de sus partes y en general está como para tirarla.

—Un funcionario que al iniciar su período un nuevo Presidente o Gobernador, está trabajando con empeño y los demás saben que va a ser reemplazado, etc., etc.

NO LE HACE QUE SE CHINGUEN

Se dice cuando dos personas están peleando a matarse y cuya muerte no sería de consecuencias.

En una familia, cuando los hijos están trabajando
en una labor muy dura y el padre no hace mucho
aprecio.

NO ME ESTÉS CHINGANDO

Se dice cuando una persona está distrayendo a otra
con cosas que no le interesan.

NO ME VAYAS A CHINGAR

Se dice:

—Al estar jugando, ganarle el juego con una trampa.

—Al estar haciendo un trabajo, con salpicarle grasa,
etc.

—Al encontrarse con un amigo y pedirle dinero, ase-
gurarle que le va a pagar.

—Al encontrarse con un enemigo que está indefenso,
éste le pide que no le haga nada, etc., etc.

NO ME VENGAS CON CHINGADERAS

Respuesta que se da a una persona que propone a
otra un negocio sucio o mercancías de poco valor,
etc., etc Se dice también cuando una persona da excusas insinceras, etc., etc.

NORTE DE LA CHINGADA

Aire del norte muy fuerte.

NO SABEN OTRA COSA MÁS QUE CHINGADERAS

Comentario que se hace cuando sólo escuchan maldades o conversaciones de poca monta.

NO SABES HACER OTRA COSA MÁS QUE CHINGADERAS

Comentario que se hace cuando algunas personas
no saben hacer más que maldades o cosas de poco
valor.

NO SÉ CÓMO CHINGADOS SE SALIERON

Se dice:

—Los marranos de la porqueriza.

—Los muchachos de la casa cuando están castigados.

—Los pájaros de la jaula, etc., etc.

NO SE ENTRETIENEN MÁS QUE CON CHINGADERAS

Personas que matan el tiempo en diabluras o trabajos de poca monta.

NO SE "P'A" QUÉ CHINGADOS LE DICEN

Tiene diversas aplicaciones:

—Cuando se le quiere dar una sorpresa a una persona y no falta quién se lo sople.

—Cuando el médico estima que el enfermo está grave
y no falta quién le dice que tiene que cuidarse,
etc., etc.

NO SE "P'A" QUÉ CHINGADOS LE HICIERON

Comentarios:

—Diputado, cuando no tiene la preparación debida.

—Una broma a un amigo, cuando saben que se enoja.

—Un traje, cuando saben que no se lo va a poner.

NO SE "P'A" QUÉ CHINGADOS LO MANDARON

Expresión cuando se ha mandado a una persona a
un lugar donde no puede desenvolverse sola.

También se dice:

—Cuando han mandado a la Universidad un muchacho que no está bien preparado.

—Cuando se ha mandado traer el médico y el enfermo no lo estima necesario.

—Un comerciante cuando recibe mercancía que no
ha pedido, etc., etc.

NO SE "P'A" QUÉ CHINGADOS LO TRAJERON

Se dice:

—Cuando se ha traído una cosa que no hacía falta.

—Cuando se ha mandado llamar la orquesta teniendo un buen tocadiscos.

—Cuando se compra una tela y nunca lo conectan,
etc., etc.

NO SÉ "P'A" QUÉ CHINGADOS SE FUERON

Se dice:

—Cuando un grupo ha salido para la capital sin
decir nada a nadie.

—Cuando no saben dar razón de nada.

—Cuando un grupo fue a la feria y no compró ni
vendió nada, etc., etc.

NO SÉ "P'A" QUÉ CHINGADOS SE VAN A BAJAR

Se dice:

—Cuando unos albañiles se bajan de la obra sin
causa.

—Cuando unos rancheros bajan del cerro sin motivo,
etc., etc.

NO SÉ "P'A" QUÉ CHINGADOS SE VINIERON

Se dice:

—Cuando han llegado a un lugar muy alborotadas
las muchachas.

—Cuando no se sabe a qué vinieron un grupo de
políticos.

—Cuando acuden a una fiesta y se quedan arrinco-
nados sin beber ni bailar ni platicar con los demás, etc., etc.

NO SÉ "P'A" QUÉ CHINGADOS VAN A SUBIR

Se dice:

—Cuando estando por salir en coche, a las muchachas se les ocurre subir a la casa.

—Cuando a unos muchachos se les ocurre subir a la
torre, etc., etc.

NO SÉ QUÉ CHINGADOS TIENE

Se dice:

—De un enfermo cuando todavía no viene el médico.

—Cuando una persona está enojadísima sin que se sepa la causa, etc., etc.

NO SIRVE ESA CHINGADERA

Se dice al señalar una cosa que no ha dado resultado.

NO TE ENTRETENGAS EN CHINGADERAS

Indicación que se hace a una persona cuando está mirando sin hacer nada o haciendo otra cosa que no es de su cometido.

NO TE METAS EN CHINGADERAS

Consejo que se da a una persona para que:

—No se meta en política si no la conoce.

—No se mezcle en asuntos que no le incumben, etc. etc.

NO TE SALGAS CON CHINGADERAS

Decir a una persona que no se excuse con tonterías. Por ejemplo, eludir un pago, cumplir una comisión, etc., etc.

NO TE VAYAS AL CHINGADAZO

Indicar a una persona que no inicie un viaje o un trabajo sin pensarlo bien.

NO TE VAYAS A VENGAR POR ESA CHINGADERA

Consejo que se da a una persona que tiene rencor por un asunto que no tiene importancia.

NO TE VAYAS CON CHINGADERAS

Tiene diversas aplicaciones:

—Acudir a una feria sin mercancía que valga la pena.

—Acudir a una cita si no tiene argumentos sólidos.

Se entiende por cita a un juzgado, ante una notaría, etc., etc.

NO TE VAYAS EN ESA CHINGADERA

Consejo que se da cuando pretende ir a un lado en una carcacha vieja.

NO TIENES OTRA COSA MÁS QUE CHINGADERAS

En una tienda donde no tienen otras cosas que vulgaridades.

NO VAYAS A ESA CHINGADERA

Consejo a una persona cuando se estima que un lugar o reunión cualquiera que fuere, no le conviene.

NUDO DE LA CHINGADA

Se dice cuando en una cuerda o mecate hay un nudo.

NUEVO COMO LA CHINGADA

Se dice al mostrar un radio o consola sin estrenar.

OBRA CHINGONA

Una obra de gran envergadura. Una gran presa, un gran edificio, una carretera por lugares difíciles, etc., etc.

OBRERO CHINGÓN

Un obrero muy apto, capaz, inteligente, etc., etc.

OFICINA CHINGONA

Un despacho bien puesto de todo a todo.

OFICINA DE LA CHINGADA

Una oficina destartalada, con muebles viejos.

OFICIO CHINGÓN

Profesión muy lucrativa.

OFICIO DE LA CHINGADA

Profesión que no le rinde.

OFRECE A LO "JIJO" DE LA CHINGADA

Se dice de una persona que mucho ofrece aunque no cumpla.

OÍDO CHINGÓN

Persona que oye a la distancia.

OÍDO DE LA CHINGADA

Persona que no oye nada, o que oye mal.

OJERIZA DE LA CHINGADA

Persona que tiene muy mala voluntad con otra.

OLOR DE LA CHINGADA

Fetidez que no se soporta.

OLVIDO DE LA CHINGADA

Un olvido que ha traído consecuencias.

ORDEN CHINGONA

La que es concluyente, terminante.

ORDEN DE LA CHINGADA

Orden que no tiene pies ni cabeza. También se dice cuando en un lugar reina el desorden.

ORDEÑA COMO LA CHINGADA

Un aparato que ordeña eléctricamente sin dañar a las vacas ni tampoco se excede.

OREJÓN COMO LA CHINGADA

Persona de orejas grandes. Un animal como el burro.

OCURRENTE COMO LA CHINGADA

Persona de ocurrencias graciosas o también de buenos proyectos.

¡OH, QUÉ LA CHINGADA!

Se dice:

—Cuando una señora va a la carnicería, primero pide costillas, luego dice que quiere otra cosa y al poco rato otra, dejando las primeras.

—Cuando una persona va a ver a otra una vez, dos, tres y cuatro veces con la misma causa cuando ya le ha dicho que no en todas las visitas.

—Cuando una persona en una reunión pide la palabra y dice cuatro babosadas, vuelve a pedirla y repite las mismas y vuelve a pedirla y los cansa.

OSCURO COMO LA CHINGADA

Lugar donde no hay luz y hay que andar a tientas.

OS VA A LLEVAR LA CHINGADA

Indicación cuando andan jugando con cosas peligrosas o con travesuras que pueden traer consecuencias.

O TE CHINGAS O TE LARGAS A LA CHINGADA

Sentencia que hace un padre a su hijo cuando no quiere trabajar ni estudiar, y le sugiere que se vaya a donde guste. Un jefe al que no quiere trabajar.

O TE CHINGAS O TE JODES

La ley de Herodes. O trabajas o te amuelas. No hay de otras.

"P'A" LA CHINGADA

Expresión cuando se está cansado de algo, sea lo que fuese.

PADRE CHINGÓN

Jefe de familia que sabe gobernar a sus hijos por el camino del bien.

PAGA CHINGONAMENTE

Persona que paga puntualmente.

PAGA PURA CHINGADA

Persona que nunca paga.

PAISAJE CHINGÓN

Panorama magnífico.

PÁJARO CHINGÓN

Un pájaro muy hermoso.

PALABRITA DE LA CHINGADA

Se dice cuando es de esas difíciles de pronunciar.

PALABROTA DE LA CHINGADA

Palabra que es una grosería.

PALANCA CHINGONA

Tiene diversas interpretaciones. Veamos:

—Una palanca de fierro resistente.

—La que tiene una persona de esas muy influyentes.

PALERO DE LA CHINGADA

Persona que de acuerdo con otras juega al tiro al blanco y siempre acierta, porque por dentro tiraron la pieza aunque no le haya pegado.

También se dice, de aquella persona que en el juego de una feria siempre gana porque la baraja está marcada y así caen incautos.

PALIQUE DE LA CHINGADA

Cuando las señoras se ponen a platicar de sus cosas y están horas y horas platicando.

También se dice de una pareja de novios cuando están platicando si es que no están haciendo otras cosas si la ocasión les es propicia.

PALÚDICO COMO LA CHINGADA

Persona muy afectada por el paludismo.

PANDO COMO LA CHINGADA

Alguna pieza de fierro o de madera que está curva.

PANZA DE LA CHINGADA

Comentario que se hace una persona cuando tiene una panza (estómago sobresalido de lo normal).

PAPEL DE LA CHINGADA

Se dice cuando una persona está desempeñando (un puesto) en el cual muchas veces lo ponen en evidencia.

PEPELEO DE LA CHINGADA

El que se registra en una oficina donde hay que llenar papeles y más papeles para que otorguen por ejemplo una licencia, etc., etc.

¿"P'A" QUÉ CHINGADOS LO COMPRASTE?

Pregunta que se hace a una persona por una compra.

¿"P'A" QUÉ CHINGADOS LO HACEN?

Pregunta cuando se ha mandado hacer una cosa y no se va. aprovechar en nada.

¿"P'A" QUÉ CHINGADOS LO VENDES?

Pregunta a una persona que no tiene necesidad de vender nada de sus propiedades o cosas.

¿"P'A" QUÉ CHINGADOS TE VAS?

Pregunta que se hace indagando el motivo del viaje.

¿"P'A" QUÉ CHINGADOS TE VIENES?

Pregunta que se hace a una persona que vive en la ciudad.

¿"P'A" QUÉ CHINGADOS VENDRA?

Pregunta de una persona a otra comentando la llegada de algún personaje.

PARADAS A LO "JIJO" DE LA CHINGADA

Cuando un camión de pasajeros se detiene en cada esquina o en todos los pueblos de una carretera.

PARCHE DE LA CHINGADA

Cuando a un edificio le han añadido algo que no le queda bien.

PARE A LO "JIJO" DE LA CHINGADA

Se dice:

—De una mujer que año con año tiene un vástago.

—De una marrana que echa muchas crías; igualmente una chiva o hembra cualquiera que pare muchas crías.

PAREJA CHINGONA

Se dice cuando tanto la dama como el caballero son personas bien formadas, bien educadas y afines en todo.

PARRANDERO COMO LA CHINGADA

Persona que no hay noche que falte a los centros nocturnos.

PARTIDO CHINGÓN

Cuando los dos equipos son de importancia. Se dice también cuando un juego ha sido muy luchado.

PASEA A LO "JIJO" DE LA CHINGADA

Persona que siempre anda de viaje.

PASEA PURA CHINGADA

Persona que no sale de su casa para nada.

PASTIZAL DE LA CHINGADA

Cuando en una huerta el pasto invade los cultivos o los árboles frutales o simplemente no sirve para nada.

PASTO CHINGÓN

Pasto que tiene muchas proteínas y otras virtudes y por lo tanto es un gran alimento para los animales.

PEDRADA DE LA CHINGADA

Se dice de aquella persona que ha recibido una pedrada que le ha causado mucho daño.

PEDREGAL DE LA CHINGADA

Se dice cuando en un camino, carretera o un campo hay muchas piedras.

PEGA COMO LA CHINGADA

Persona que sabe dar los golpes. Por ejemplo un boxeador.
También se dice cuando un artículo ha causado aceptación en el mercado.

PEINADO CHINGÓN

El que ostentan las damas al acudir a una fiesta donde pueden lucirlo.

PELADO COMO LA CHINGADA

Tiene varias interpretaciones. Veamos:

—Un sujeto que no respeta a nadie y es de baja categoría social moralmente.

—El individuo que se corta el pelo al ras.

—Una montaña que no tiene ningún árbol ni arbusto.

PELEA COMO LA CHINGADA

Se dice:

—De un gallo que ataca con firmeza y no dobla el pico.

—Del boxeador que sabe su oficio.

—Del comisionista que defiende su trabajo, etc.

PELIGRO DE LA CHINGADA

Se dice:

—De un lugar que es peligroso transitar.

—Estar en las cercanías de los grandes transformadores.

—El encender un cigarro en una gasolinera, etc., etc.

PENA DE LA CHINGADA

Pesar muy profundo.

PENAS A LO "JIJO" DE LA CHINGADA

Se dice cuando una persona que ha tenido que sufrir penas con frecuencia por diversas causas.

PENDIENTE COMO LA CHINGADA

Comentario sobre una cuesta muy pesada.

También se dice de una persona que está muy al pendiente de todas las noticias.

PENSAMIENTO CHINGÓN

El de algunos filósofos o grandes hombres.

PEÑASCUDO COMO LA CHINGADA

Un terreno que está lleno de peñascos y no sirve para cultivarlo.

PERDIDA COMO LA CHINGADA

Se dice de una mujer que no tiene compostura en
su vida.

PÉRDIDA DE LA CHINGADA

Se dice cuando en un incendio, en una siembra, en
un terremoto se han registrado daños considerables.

PERDIÓ A LO "JIJO" DE LA CHINGADA

Se dice cuando una persona perdió hasta los cal-
zones.

PEREZA DE LA CHINGADA

Se dice cuando una persona no tiene ganas de hacer
nada.

PERICO CHINGÓN

Ave muy dicharachera y aprende todo lo que dicen
las gentes.

PERIÓDICO CHINGÓN

Se dice cuando un periódico trae noticias de todo
lo habido y por haber en el mundo. Además buenos,
editoriales.

PERRO CHINGÓN

Se dice del perro que es bueno para la caza, para
cuidar la casa, etc., etc.

PESADO COMO LA CHINGADA

Se dice:
—Cuando un sujeto es muy necio.
—De algún metal.
—De un bulto.
—De un camino sinuoso, con pendientes y largo.

PESCA A LO "JIJO" DE LA CHINGADA

Se dice de persona que logra mucha pesca.

PESCADO A LO "JIJO" DE LA CHINGADA

Se dice cuando el mercado está saturado.

PESTAÑA CHINGONA

La que lucen algunas artistas o también algunas mujeres.

PETRÓLEO A LO "JIJO" DE LA CHINGADA

El que se logra en los campos petroleros de México.

PICA A LO "JIJO" DE LA CHINGADA

El chile de algunos lugares pica más que otros.

POR ANDAR COMO LA CHINGADA

Se dice, cuando una persona ha tenido un choque o una volcadura por andar a gran velocidad siempre.

POR ANDAR CON CHINGADERAS

Se dice, cuando una persona está sufriendo las consecuencias de su vida disipada.

POR ANDAR EN CHINGADERAS

Tiene diversas aplicaciones. Veamos:

—Cuando una persona ha enfermado por su mala vida.

—Cuando una persona ha obrado mal con otras y estas le hacen una reclamación, ante la ley.

—Cuando una persona desatendiendo su negocio se dedica a asuntos que no son de su incumbencia, etc., etc.

¿POR ESTA CHINGADERA ME TRAJERON?

Tiene dos interpretaciones. Veamos:

Como pregunta. Se dice cuando a una persona la han llamado con insistencia a ver lo que es una novedad para ellos.

Como comentario. Cuando se señala a un amigo la causa por la que ha sido llamado por las autoridades.

¿POR QUÉ TE CHINGAS TANTO?

Pregunta que se hace a un amigo al ver que trabaja
constantemente.

¿POR QUÉ TE ESTÁN CHINGANDO TANTO?

Pregunta que se hace a un amigo al leer en los periódicos que lo están atacando.

POR TANTITO TE LLEVA LA CHINGADA

Se dice cuando por una casualidad o suerte no ha
tenido un percance una persona.

POR TARUGO TE VA LLEVAR LA CHINGADA

Se le dice a una persona que por ser demasiado con-
fiada se va a arruinar o cuando menos va a tener un
daño.

POR TUS CHINGADERAS ME TENGO QUE CHINGAR

Cuando un padre dice a su hijo que tiene que trabajar para cubrir los daños que ha causado con sus
malhechuras. También cuando tiene que pagar las
deudas que ha contraído con su vida disipada.

POR TUS CHINGADERAS NOS ESTÁN CHINGANDO

Un padre, un jefe, a un agente de ventas o a un
jefe de taller al mostrar una queja que han recibido
y que la competencia está aprovechando en su beneficio.

POR TUS CHINGADERAS NOS VA A LLEVAR LA CHINGADA

Se dice en varios casos. Veamos:

—Cuando un hijo no se ha preocupado por trabajar
bien el negocio o el encomendado, bien por su
impericia o por su negligencia, estando ya al borde de la quiebra.

—Cuando un jefe político no ha sabido llevar bien

el "teje y maneje" en un lugar y destituyen a toda la directiva.

—Cuando un grupo de amigos han sido llamados por la autoridad que les exige el pago de daños y perjuicios causados a un coche que alquilaron y que el que lo manejaba no tuvo habilidad para evitar un choque por estar borracho.

PRESA CHINGONA

Una presa de grandes dimensiones.

PRESUME DE SUS CHINGADERAS

Una persona que hace alarde de sus fechorías.

PRESUMIDO COMO LA CHINGADA

Persona que hace alarde de su puesto oficial (esto lo hacen los tontos) o de su persona o por las influencias que goza, de los bienes que posee, de su profesión, etc.

¡QUÉ BIEN DISIMULAS TUS CHINGADERAS!
Exclamación ante una persona que solapadamente está haciendo males.

¡QUÉ BIEN LA ESTÁN CHINGANDO!
Exclamación que se hace ante unas personas que tratan de perjudicarlo. Entre políticos existe alguna intriga: entre periodistas cuando le están tirando a una persona, etc., etc.

¡QUÉ BIEN LO ESTÁS CHINGANDO!
Comentario con un periodista que está atacando a una persona con bases bien fundadas.

QUEBRADIZO COMO LA CHINGADA
Se dice de algo que puede romperse fácilmente.

¿QUÉ CHINGADOS APRENDISTE?
Pregunta que se hace al hijo cuando vino de la escuela.

¿QUÉ CHINGADOS CONSEGUISTE?
Pregunta que hace un padre a su hijo cuando lo mandó a pedir limosna.

¿QUÉ CHINGADOS CONSIGUES CON ANDAR CON CHINGADERAS?
Pregunta que se hace a una persona cuya vida no es formal y siempre anda de pleito.

¿QUÉ CHINGADOS CONSIGUES CON ANDAR CHINGUE Y CHINGUE?

Pregunta a una persona que mantiene un pleito años y años.

¿QUÉ CHINGADOS CONSIGUES CON CHINGARLO?

Pregunta que se hace a una persona que se ha propuesto dañar a su enemigo en alguna forma.

¿QUÉ CHINGADOS CONSIGUES CON ESA CHINGADERA?

Pregunta que se hace a una persona que busca su sutento con un organillo u otro objeto.

¿QUÉ CHINGADOS SABE ESE CHINGADO?

Pregunta una persona al referirse a un individuo que cuando menos presume que sabe, da a sospechar que no sabe nada por su poca prestancia.

¿QUÉ CHINGADOS SABES?

Pregunta que hace el jefe de un taller a uno que solicita trabajo.

¿QUÉ CHINGADOS SACAS CON IRTE?

Pregunta que hace un amigo a otro cuando ha decidido ir a otra parte por alguna causa.

¿QUÉ CHINGADOS SACASTE?

Pregunta que hace una persona al ver a otra examinando la lista de la lotería.

¿QUÉ CHINGADOS TE VAS A IGUALAR CON ÉL?

Comentario que hace una persona cuando sabe que con quien habla va a competir con otro superior a él.

También cuando una persona presume que es tan importante como otra significada.

¿QUÉ CHINGADOS TE HACEN?

Pregunta de un amigo a otro cuando sabe que está amparado.

¿QUÉ CHINGADOS TIENE?

Pregunta que es a su vez respuesta a una recriminación que se ha hecho, como diciendo ¿qué tiene de malo?

¿QUÉ CHINGADOS TIENE ESTO?

Pregunta "in mente" que hace una persona al ver que no "arranca" el motor o no enciende la tele.

¿QUÉ CHINGADOS TIENES?

Pregunta de un amigo a otro al verlo triste.

¿QUÉ CHINGADOS TRAES?

Pregunta que hace un amigo a otro al ver que regresa de un viaje, o simplemente va llegando a la reunión.

¡QUÉ CHINGADOS VA A VENIR!

Comentario que se hace cuando se duda de que vaya a venir una persona.

¿QUÉ CHINGADOS VALE ESA CHINGADERA?

Pregunta que hace una persona al señalar un objeto en una tienda.

¿QUÉ CHINGADOS VA LLOVER?

Exclamación cuando le afirman que va llover cuando el cielo está estrellado.

¿QUÉ CHINGADOS VAS A DECIR?

Pregunta que hace un amigo a otro al saber que va a pronunciar un discurso ante las autoridades, o en otra parte.

¡QUÉ CHINGADOS VAS A DECIR SI NO SABES HABLAR!

Comentario que se hace cuando se conocen los alcances de una persona.

¿QUÉ CHINGADOS VAS A GANAR TÚ?

Pregunta que se hace cuando se sabe que una persona va a intervenir en un litigio.

¿QUÉ CHINGADOS VAS HACER AHORA?

Pregunta que se hace al entrevistar a un amigo que ha sacado la lotería.
O también cuando se sabe que perdió el empleo.

¿QUÉ CHINGADOS VAS A LLEVAR?

Pregunta una madre a su hijo al emprender un viaje.
También cuando un mecánico va a salir a prestar servicio fuera del taller.
Asimismo cuando una persona llega a una tienda.

¿QUÉ CHINGADOS VAS A PEDIRLE?

Pregunta que se hace a una persona que dice va a entrevistar al Sr. Gobernador u otra autoridad.

¡QUÉ CHINGADOS VAS A PODER COMPRAR EL CAMIÓN!

Exclamación al dudar de las posibilidades de compra porque sospecha que no tiene dinero.

¡QUÉ CHINGADOS VAS A SABER MANEJAR!

Exclamación que hace una persona dudando de otra que dice sabe manejar un coche.

¡QUÉ CHINGADOS VAS A SABER VOLAR!

Exclamación de una persona que duda que sepa volar la persona con quien está hablando.

¡QUÉ CHINGADOS VAS A SER DIPUTADO!

Exclamación que hace una persona a su amigo al ser informado que cuando menos es candidato, pero que duda que llegue a ocupar su curul.

¿QUÉ CHINGADOS VAS A TRAER?

Pregunta que hace un comerciante a su hijo cuando va de compras a la capital.

QUEDÓ DE LA CHINGADA

Se dice de una persona que quedó muy mal, ante el señor Gobernador, ante el Presidente, ante la directiva de un club, etc., etc., por una metida de pata.

QUEJIDO DE LA CHINGADA

El que se escucha de un enfermo que sufre dolores fuertes y no los puede soportar.

QUEMA A LO "JIJO" DE LA CHINGADA

Sustancia que es muy cáustica.

QUEMAZÓN DE LA CHINGADA

Al decir de un incendio de vastas proporciones.

QUESADILLA CHINGONA

La que está muy sabrosa.

QUESO CHINGÓN

El que es de buena calidad; por ejemplo el de Zumpango, Gro., el de La Barca, Jal., el de Jacona, Mich., etc., etc.

QUESO DE LA CHINGADA

El que está hecho artificialmente o con una leche más aguada que el agua misma.

¿QUIÉN CHINGADOS ES ESE?

Pregunta que hace una persona sobre alguien que ha llegado al pueblo.
También cuando ha sido definido el nuevo diputado y no lo conocen en el distrito.

¿QUIÉN CHINGADOS HIZO ESTO?

Pregunta severa al ver una cosa rota.

¿QUIÉN CHINGADOS LE VA A HABLAR?

Pregunta que hace una persona al grupo que lo acompaña cuando van a ver a un personaje para pedirle algo.

¿QUIÉN CHINGADOS LO ALCANZA?

Exclamación cuando un delincuente se le ha escapado a la policía, huyendo hacia el monte en un auto por la carretera.

¿QUIÉN CHINGADOS PUEDE HACER ESTO?

Pregunta que se hace cuando se ha roto alguna pieza de una máquina y no hay refacción.

¿QUIÉN CHINGADOS VA SER POR FIN EL DIPUTADO?

Pregunta que hace un político impaciente.

¿QUIÉN ES EL "JIJO" DE LA CHINGADA QUE ESTÁ CHINGANDO?

Pregunta que hace una persona a los periodistas al darse cuenta que le están tirando feo, estimando que alguno bajo cuerdas los está azuzando.

¿QUIÉN "JIJOS" DE LA CHINGADA DIJO ESO?

Pregunta que hace una persona al enterarse de que le atribuyen una información.

¿QUIÉN "JIJOS" DE LA CHINGADA LO TRAJO?

Pregunta que deja entrever disgusto al ver algún objeto en su casa.

¿QUIÉN "JIJOS" DE LA CHINGADA SE LO LLEVÓ?

Pregunta que denota disgusto al saber que han robado un objeto de la casa.

QUIJADA CHINGONA

La de los burros y las mulas.

RABIOSO COMO LA CHINGADA

Un perro atacado por la rabia. Se dice también cuando una persona está furiosa.

RACIÓN DE LA CHINGADA

La parte de comida que se da a una persona que no es suficiente ni tampoco bien hecha.

RADIADOR DE LA CHINGADA

Radiador de un coche que está inservible.

RADIADOR CHINGÓN

El radiador que enfría perfectamente un motor.

RADIO CHINGÓN

El aparato de radio que alcanza con claridad a escuchar todas las estaciones del mundo.

RADIO DE LA CHINGADA

Aparato que apenas capta las estaciones de la ciudad.

RAJADO COMO LA CHINGADA

Persona que no sostiene la palabra que ha dado.

RAMALAZO DE LA CHINGADA

El que se recibe al pasar por un arbusto si no hemos apartado la rama con la mano.

RAMO CHINGÓN

Un hermoso ramo de flores.

RANCHO CHINGÓN

Es aquel que cuenta con buenas tierras, buenos potreros y pastizales. Rancho: Porción de tierra con su casa de campo y ganado vacuno, etc., etc.

RANCHO DE LA CHINGADA

El rancho que está en malas condiciones, abandonado.

RASPA A LO "JIJO" DE LA CHINGADA

Se dice de una lima o de algo que raspa mucho.

RATAS A LO "JIJO" DE LA CHINGADA

Se dice cuando las ratas han invadido una bodega una casa, etc., etc.

RATERO COMO LA CHINGADA

Se dice de una persona que es un ladrón consumado.

RAYA A LO "JIJO" DE LA CHINGADA

Se dice de un caballo que al frenar patina un rato.

RAYO DE LA CHINGADA

Un rayo de esos fuertes que parten un árbol o queman y fulminan una casa, matando a todos.

RAZA CHINGONA

Es aquella que sus sementales mejoran la cría.

RAZA "JIJA" DE LA CHINGADA

Una mala raza de ganado, de gallinas, puercos, etc.

REBAJA COMO LA CHINGADA

Se dice de aquel comerciante que al pedir, rebaja los precios o del fiscal que es considerado.

RECADO DE LA CHINGADA

Es el que recibe una persona en el cual le dan malas
noticias o malos informes, etc., etc.

RECARGADO HASTA LA CHINGADA

Un camión de carga, de pasajeros que va sobrepasado de peso o de personas.

RECAUDADOR CHINGÓN

Es aquel que cuida la recaudación de impuestos y
al mismo tiempo es equitativo.

RECITA COMO LA CHINGADA

Persona que recita versos o poesías con buena dic-
ción.

RECLAMA A LO "JIJO" DE LA CHINGADA

Es la persona que reclama por cualquier motivo.

RECOCIDO COMO LA CHINGADA

La carne que se ha cocido muy bien.

RECOVECO DE LA CHINGADA

Es el rincón muy escondido.

RECUERDO CHINGÓN

Es el recuerdo de valor que ha dejado una persona.

RECUERDO DE LA CHINGADA

Es el mal precedente que ha dejado una persona.

RECHINGA A LO "JIJO" DE LA CHINGADA

Tiene varias interpretaciones. Veamos:
Es la persona que molesta a cada rato, sea un jefe,
un cliente molesto, un profesor con sus exigencias,
etc.
Se dice también de un ruido, un tocadiscos, radio,
etc., etc., que está todo el día sonando.

REDONDO COMO LA CHINGADA

Es lo perfectamente circular.

REDUCIDO COMO LA CHINGADA

Lugar de poco espacio.

REJEGO COMO LA CHINGADA

Es la persona que no se acopla a las costumbres o a los programas de acción en la sociedad.

REFORZADO COMO LA CHINGADA

Aquello que ha sido aumentado en su resistencia.

REFUNDIDO HASTA LA CHINGADA

Persona u objeto que se encuentra en el último rincón.

REGADERA CHINGONA

Es aquella que esparce abundante agua y con presión.

REGALA PURA CHINGADA

Persona que nunca regala nada.

REGALA PURAS CHINGADERAS

Persona que regala chucherías.

REGALO CHINGÓN

Es aquel de mucho valor.

REGATEA A LO "JIJO" DE LA CHINGADA

Persona que discute precios hasta que cansa.

RECHINA A LO "JIJO" DE LA CHINGADA

Un coche, un piso, una cama que produce chirridos con cualquier movimiento.

REJA CHINGONA

El enrejado que asegura muy bien una casa una ventana, y es también aquella que tiene dibujos formados con fierro.

RELAJO DE LA CHINGADA

Se dice de aquella alegría que se ha sobrepasado de lo normal y alcanza a travesuras pesadas y picarescas.

RELOJ CHINGÓN

Es aquel que es muy fino, de oro, de muchas piedras preciosas, que trabaja sin adelantarse ni atrasarse.

RELOJ DE LA CHINGADA

Es aquel que hay que darle cuerda cada rato, que se atrasa varios minutos al día o se adelanta. Corriente.

RELUCE A LO "JIJO" DE LA CHINGADA

Es aquello que brilla mucho.

REMEDIO CHINGÓN

Medicina muy buena, eficiente.

REMEDIO DE LA CHINGADA

Es la medicina que no sirve. Se dice también el que se aplica (disciplina) a una persona para que se enmiende.

RÉMORA DE LA CHINGADA

Se dice de una persona que es la negación en todo por su indolencia.

RENGO COMO LA CHINGADA

Es el que ha quedado cojo por un accidente o ha nacido así.

RENIEGA A LO "JIJO" DE LA CHINGADA

Persona que se queja de todo y de todos.

RENTA DE LA CHINGADA

Es aquella muy elevada en correlación al bien que la causa,

REPARA A LO "JIJO" DE LA CHINGADA

Tiene dos aplicaciones. Veamos:
—Al referirse de un auto, camión, etc., que brinca con la menor causa.
—Aquella medicina que hace recuperar al enfermo.
—Aquel mecánico que arregla una máquina bien.

REPASA A LO "JIJO" DE LA CHINGADA

Se dice del estudiante, profesionista, etc., etc., que repasa los estudios, sus trabajos, etc., etc.

REPICAN A LO "JIJO" DE LA CHINGADA

Las campanas de una iglesia que con cualquier motivo están repicando.

REQUEMADO COMO LA CHINGADA

La persona a la que el sol ha quemado su piel. Se dice también de un asado que se ha pasado de tueste.

REQUESÓN CHINGÓN

Es el que se obtiene del suero que queda después de que se ha hecho el queso y que es de muy buen sabor y calidad.

RESALTA COMO LA CHINGADA

Se dice de algo que sobrepasa. Una persona por su altura un detalle en un monumento, una figura en una pintura, etc.

RESULTAS DE LA CHINGADA

Se dice de las consecuencias funestas que ha traído la conducta de una persona cuando no ha obrado bien.

RETA A LO "JIJO" DE LA CHINGADA

Persona que acostumbra retar por cualquier motivo.

RETOBADO COMO LA CHINGADA

Es la persona rebelde a toda disciplina.

RETOZA COMO LA CHINGADA

Se dice de un niño, de un cabrito, de un becerrito que hace saltos de alegría y contento.

RETRASADO COMO LA CHINGADA

Se dice de un retrasado mental, de un camión de

pasajeros, de un tren, de un avión que ha tardado mucho en llegar, también se dice de una persona que siempre llega tarde a sus obligaciones.

RETRATA COMO LA CHINGADA
Fotógrafo que logra muy buenas fotografías.

RETRATO CHINGÓN
Un buen retrato de una persona.

REVENTADA HASTA LA CHINGADA
Se dice de una llanta que tiene una "rajada" de varios centímetros o quizá más de un decímetro.

REVISA HASTA LA CHINGADA
Tiene diversas aplicaciones. Veamos:
—Un agente fiscal que inspecciona una bodega.
—Un agente aduanal los bultos que entran en la frontera o un puerto.
—Un jefe de taller, una máquina antes de entregarla.
—Un policía una casa donde se sospecha hay mariguana, etc., etc.

REVISTA DE LA CHINGADA
Tiene diversas aplicaciones. Ejemplos:
—La minuciosa que pasa un oficial del ejército.
—Una revista que no trae cosa que valga la pena pero sí está llena de fotografías indecentes.

RIÍTO DE LA CHINGADA
Es aquel que sólo lleva agua cuando llueve y no siendo así un hilito de agua.

RISA DE LA CHINGADA
Es la risa de carcajadas y que nos hace llorar. Se dice de cuando se rie a mandíbula batiente.

RIE COMO LA CHINGADA

La risa graciosa de un niño. También se puede aplicar a una persona mayor cuando rie satisfecha.

RIE A LO "JIJO" DE LA CHINGADA

Persona que rie por cualquier cosa.

RINCÓN DE LA CHINGADA

Se dice de aquel rincón muy escondido, muy difícil de dar con él.

RÍO CHINGÓN

Es aquel de mucho caudal, como el Amazonas que permite que los barcos suban en él cientos de kilómetros, el Mississipi, etc., etc.

RÍO DE LA CHINGADA

Es aquel muy peligroso.

RODEO DE LA CHINGADA

Es en el que se tiene que hacer una curva muy grande para llegar a un lugar determinado, caminando por una carretera o vereda.

ROCÍO CHINGÓN

Es aquel muy intenso que produce mucha humedad y ésta beneficia a los campos.

ROJO COMO LA CHINGADA

Tiene varias interpretaciones. Veamos:
—Del que tiene ideas de izquierda muy profundas.
—Color rojo muy intenso.

ROPA CHINGONA

Ropa de muy buena calidad.

ROPA A LO "JIJO" DE LA CHINGADA

Persona bien prevista de vestimenta.

ROSA CHINGONA

Una rosa muy hermosa y perfumada.

ROZA A LO "JIJO" DE LA CHINGADA
Se dice cuando un volante, un engrane, una rueda tiene fricción con otra parte de una máquina.

ROZADURA DE LA CHINGADA
La parte afectada profundamente por el rozamiento.

RUIDO DE LA CHINGADA
Ruido que no se puede soportar.

SABE CHINGUEROS

Se dice de una persona que sabe mucho.

SACA AGUA A LO "JIJO" DE LA CHINGADA

Una bomba que absorbe mucha agua.

SALEN A LO "JIJO" DE LA CHINGADA

Se dice:

—Las muchachas a pasear o a vacilar.

—Los conejos en el campo.

—Los defectos de una persona mal educada.

—Los problemas en una nación o estado, etc., etc.

SALE PURA CHINGADA

—Una liebre que se escondió y no sale de su escondite por más esfuerzos que hacen los cazadores.

—Un ladrón de su escondite.

—Agua por más esfuerzos que se hacen

—Una muchacha a paseo cuando sus padres la tienen encerrada.

—Una persona por más que lo inviten sus amigos, etc., etc.

SALES PURA CHINGADA

Persona que en mucho tiempo no va poder salir de la cárcel. Puede ser también de su trabajo al no darle permiso, de su casa porque no le dejan, etc., etc.

SALSA CHINGONA

Es la salsa muy bien condimentada, muy sabrosa.

SALTA A LO "JIJO" DE LA CHINGADA

Tiene diversas aplicaciones. Ejemplos:
—El deportista con su garrocha.
—El caballo en un concurso hípico.
—La pulga en la cama.
—La chispa en un cortocircuito.
—El joven cuando tiene gusto, etc., etc.

SALTO CHINGÓN

Es aquel que en una olimpiada alcanza medalla de oro.

SALTA DE LA CHINGADA

La persona que no alcanza un brinco ni de medio metro.

SALUD CHINGONA

Persona que tiene muy buena salud.

SALUD DE LA CHINGADA

Persona que no disfruta de salud.

SANGRA A LO "JIJO" DE LA CHINGADA

Persona o animal que está perdiendo mucha sangre por una herida.

SANO COMO LA CHINGADA

Persona que disfruta de buena salud y está fuerte.

SE ALIVIÓ DE PURA CHINGADERA

Se alivió de milagro.

SECRETO DE LA CHINGADA

Secreto que guarda una persona celosamente.

SE CHINGA CUANTA CHINGADERA ENCUENTRA

Se dice de aquella persona que se lleva todo lo que encuentra a su paso.

SE CHINGÓ

Se dice:

—Al dar una información de una persona que se lastimó, que se mató, etc., etc.

—A fulano, el juego, bien en el trabajo o simplemente quitándole la vida.

—A trabajar porque no le quedaba otro remedio, etc., etc.

SE CHINGÓ A MEDIO MUNDO

Persona que ha causado daños a muchas otras.

SE CHINGÓ MI CABALLO CON TODO Y SILLA

Manifestar que le han robado su caballo ensillado.

SE CHINGÓ MI RELOJ

Manifestar que le han robado su reloj.

SE CHINGÓ PORQUE QUISO

Se dice en la información sobre el accidente ocurrido a una persona intencionalmente.

En un taller, cuando un obrero se hace intencionalmente una herida para tener pretexto de estar unos días sin hacer nada y ganando.

SE CHINGÓ TRABAJANDO
Y SE FUE A LA CHINGADA

Se dice de una persona que trabajó intensamente y al hacer dinerito se fue a otro pueblo.

SED DE LA CHINGADA

Se dice cuando se tiene mucha sed.

SE DIJERON CHINGO DE CHINGADERAS

Se dice cuando unas personas se cruzaron frases insultantes.

SE DIO UN CHINGADAZO

Persona que se dio un golpe en la frente, etc.

SE "ENCHILA" POR CUALQUIER CHINGADERA
Persona que se disgusta por cualquier nimiedad.

SE FUE A LA CHINGADA
Respuesta de una persona a la que preguntaron por otra y dice que salió lejos o no sabe a dónde.

SE FUE COMO SIETE CHINGADAS
Persona que salió de un lugar enojadísima. También se dice cuando una persona se fue como alma se lleva el diablo.

SEGURO QUE GANAN A LO CHINGADO
Se dice cuando se espera que un equipo gane a otro con mucha ventaja.
También se dice cuando se supone que determinadas personas están ganando mucho dinero.

SEGURO QUE LO CHINGAN
Sospecha de que vayan a causar un daño a determinada persona.

SEGURO QUE LOS CHINGARON
Comentario cuando se esperan noticias nada favorables, bien de un equipo, bien de familiares, etc.

SEGURO DE QUE SE LOS LLEVO LA CHINGADA
Se dice en diversos casos:
—Al comentar sobre personas que iniciaron un viaje en un aparato que no prestaba seguridades.
—Al correrse la noticia de una desgracia aérea y aun nada se sabe de los pasajeros.
—Al tratarse de un equipo que se enfrentó a uno superior, etc., etc.

SE LO DIJE QUE NO SE METIERA EN CHINGADERAS
Comentarios:
—Un amigo cuando dice que ya le había advertido a otro que no se metiera en dificultades.

—Un político cuando comenta que había advertido a otro, que su juego era peligroso y podía perder influencias, etc., etc.

SE LO DIJE QUE SE IBA A CHINGAR

Se dice cuando una persona fue advertida a tiempo y al no hacer caso se murió.

Asimismo, de un aparato, máquina, etc., que necesitaba atención y al no haberla se descompuso.

También, cuando se advierte se tenga cuidado al trabajar en una máquina y esta causó una desgracia, etc., etc.

SE LO LLEVA A LO "JIJO" DE LA CHINGADA

Comentario que se hace cuando uno de los contendientes es superior al otro.

SE LO LLEVA CHINGO DE VECES

Se dice cuando un boxeador ha ganado a otro y le ganará muchas veces.

SE LO LLEVÓ LA CHINGADA

Se dice:

—Cuando falleció una persona.

—Cuando se echó a perder una máquina totalmente.

—Cuando un candidato perdió la elección.

—Cuando una persona le quitaron el empleo.

—Cuando una persona perdió hasta la camisa.

—Cuando una persona perdió su apoyo político, etc., etc.

SE LO VA LLEVAR LA CHINGADA

Se dice cuando se sabe que una persona anda mal en sus negocios, en la política. Se dice también cuando una máquina anda mal o no la cuidan.

SE ME "AFIGURA" QUE NOS ESTÁN CHINGANDO

Grupo de personas que sospechan les andan buscancando un perjuicio.

SE ME "AFIGURA" QUE NOS VA LLEVAR LA CHINGADA

Sospecha de que van a perder hasta la camisa, en el trabajo que tienen emprendido.

SE ME "AFIGURA" QUE SON PURAS CHINGADERAS

Se dice cuando se sospecha que son infundadas las aseveraciones.

SE ME HACE QUE AGUANTA PURA CHINGADA

Tiene diversas aplicaciones. Veamos:
—Una llanta en el viaje por lo maltratada.
—Una máquina el trabajo pesado.
—Una persona delicada un pequeño esfuerzo, etc.

SE ME HACE QUE ALCANZA PURA CHINGADA

Sospecha de que les va a faltar algo de gasolina u otra cosa para terminar un trabajo. Se dice también en la carretera cuando se ve que llevan poca gasolina, etc., etc.

SE ME HACE QUE LA COSECHA VA A VALER PURA CHINGADA

Sospecha de que no van a tener precio los cereales, que esperan cosechar.

SE ME HACE QUE LLEGAMOS PURA CHINGADA

Sospecha de que el coche se descompone cada rato y el tiempo pasa y no van a poder ir a donde pretendían.

**SE ME HACE QUE NOS VAN A DAR
DE COMER EL DÍA DE LA CHINGADA**
>Se dice cuando están esperando la comida y ésta
tarda horas en llegar.

**SE ME HACE QUE NOS VAN A DAR
DE COMER PURA CHINGADA**
>Sospecha de que no les van a dar de comer.

**SE ME HACE QUE NOS VAN A DAR
DE COMER PURAS CHINGADERAS**
>Sospecha de que la comida que les van a traer,
tendrá más adornos que carne.

SE ME HACE QUE PAGA PURA CHINGADA
>Sospecha de que no va a pagar el deudor.
O también la renta cara de una casa, etc., etc.

SE ME HACE QUE SE ALIVIA PURA CHINGADA
>Sospecha de que no se va a aliviar el enfermo.

**SE ME HACE QUE SI NO LLUEVE
NOS VA LLEVAR LA CHINGADA**
>Sospecha de que si no llueve se van a perder las
plantas.

SE ME HACE QUE TRAJO PURAS CHINGADERAS
>Sospecha de que una persona que regresa de un
viaje les trajo chucherías, cosas infantiles.

SE ME HACE QUE VA DURAR PURA CHINGADA
>Sospecha de que el coche u otra máquina no va a
durar mucho tiempo.

SE ME VAN MUCHO A LA CHINGADA
>Indicación que hace una persona a otras para que
desalojen un lugar.

SE PUSO COMO LA CHINGADA
>Al decir de una persona que se enojó muchísimo al
recibir una mala noticia.

SE RECHINGÓ
> Es decir, se chingó, con más firmeza.

SE SABÍA QUE EL AVIÓN ESTABA DE LA CHINGADA
> Se comenta cuando ya se sabía que el avión no estaba en buenas condiciones.

SE SABÍA QUE SE LO IBA A LLEVAR LA CHINGADA
> Se dice cuando era público y notorio que una persona estaba cardíaca y corría peligro de muerte. También cuando un camión de pasajeros se sabía que no estaba en condiciones y tuvo percance serio.

SE SALVÓ DE PURA CHINGADERA
> Se salvó de milagro.

SE VA A LA CHINGADA
> Persona que se va a buscar la vida a otra parte.

SE VINO EN CHINGA
> Se dice de uno cuando viene como de rayo. Cuando una cosa se cae de golpe y porrazo, encima de algo o alguien.

SÍGUELE CHINGUE Y CHINGUE
> Indicaciones a una persona para que siga trabajando.

SÍGUELE CHINGANDO Y VERÁS
> Indicación a una persona para que no siga molestando porque de otra manera lo castigan a como dé lugar.

SI NO TE CHINGAS A TRABAJAR COMES PURA CHINGADA
> Consejo de un amigo a otro al saber que en su casa si no lleva "chivo" no come.

SI TE CHINGAS A TRABAJAR HARÁS LO QUE TU CHINGADA GANA TE DÉ
> Consejo de un amigo a otro indicándole, que si trabaja y gana dinero hará en su vida lo que quiera.

SI TE VAS CON ESOS AMIGOS TE VA A LLEVAR LA CHINGADA

Consejo que se da a una persona al saber los amigos que tiene.

SI TE VAS EN ESA CHINGADERA A ZIHUATANEJO LLEGAS PURA CHINGADA Y PUEDE QUE TE LLEVE LA CHINGADA PORQUE EL CAMINO ESTÁ DE LA CHINGADA Y ESTA LLOVIENDO CHINGADATALES

Consejo que se da a una persona que va a emprender un viaje a Zihuatanejo en una carcacha vieja, indicándole que no llegará, y puede que se mate, porque el camino está muy malo y está lloviendo a torrentes.

SON COMO LA CHINGADA

Al referirse a un grupo de malosos.

SOPLA COMO LA CHINGADA

Es un decir cuando el viento está fuerte.

SUBE PURA CHINGADA

Expresión de una persona al darse cuenta de que el coche no puede subir la cuesta.

SUERTE CHINGONA

La que tiene una persona que con frecuencia se saca la lotería.

TABACO CHINGÓN
Tabaco de calidad.

TABLA CHINGONA
Una hermosa tabla, de buena madera.

TABLA DE LA CHINGADA
Una tabla que ya no sirve porque está podrida.

TACO CHINGÓN
Cuando se tiene hambre todos los tacos son buenos, ahora que desde luego hay algunos excelentes.

TAMBIÉN DICE SUS CHINGADERAS
Comentario sobre una persona que se le conoce como muy seria, pero que también suelta sus chistes de subido color.

TAMBIÉN HACE SUS CHINGADERAS
Persona que hace sus travesuras a la sombra de la noche.

TAMBIÉN TUVO SUS CHINGADERAS
Persona que en su vejez es muy seria y grave en su manera de ser, hizo sus travesuras en otro tiempo.

TAMBORAZO DE LA CHINGADA
Se dice tamborazo al golpe dado a la tambora como final de la pieza.

"TANTEA" A LO "JIJO" DE LA CHINGADA
Individuo sagaz, que no se le escapa detalle.

TARDE COMO LA CHINGADA
Cuando ha pasado la hora, bien para entrar al trabajo como para salir o llegar a tiempo a la casa.

**TE DIJE QUE NO ANDUVIERAS
CON CHINGADERAS**
Indicar que una persona fue advertida de que no anduviera haciendo maldades.

TE DIJE QUE NO QUERÍA A ESE CHINGADO
Advertencia de un padre a su hija acerca de que no le gustaba el novio para marido de ella.

TE DIJE QUE TE FUERAS A LA CHINGADA
Confirmar una orden anterior, de que saliera.

TEMPESTAD DE LA CHINGADA
Perturbación ciclónica que hizo mucho daño en los campos.

TENGO UN CHINGO DE TRABAJO
Tengo mucho que hacer.

TENGO UN SUEÑO DE LA CHINGADA
Persona que tiene sueño, mucho sueño.

TE PUSO DE LA CHINGADA
Comentario entre dos amigos sobre la conversación habida con una persona en la cual atacó a uno de ellos en forma muy severa.

TERREMOTO DE LA CHINGADA
Temblor de tierra muy fuerte.

TE VAS A LA CHINGADA
Orden terminante a una persona para que abandone un lugar.

TIEMBLA A LO "JIJO" DE LA CHINGADA
Información sobre un lugar muy telúrico.

TIENE CUALQUIER CHINGADERA
Persona que apenas tiene para comer.

TIENE PURA CHINGADA
Persona que no tiene petate en que caer muerto.
Persona que no tiene un petate donde caerse muerto.

TIENE SUS CHINGADERAS
Persona en apariencia muy circunspecta, tiene cola que le pisen.

TIEMPO CHINGÓN
Tiempo espléndido, magnífico.

TIEMPO DE LA CHINGADA
Mal tiempo, lluvioso, frío, etc.

TIRO CHINGÓN
Tiro que dio en el centro del blanco.

"TODITITO" ESTÁ DE LA CHINGADA
Informe sobre un lugar que ha sido dañado por un temblor, indicando que causó muchos daños.

"TODITITITOS" ESTÁN DE LA CHINGADA
Informe sobre un lugar donde existe grave crisis económica.

"TODITITITOS" ESTÁN QUE SE LOS LLEVA LA CHINGADA
Lugar en el que todos sus habitantes están disgustados por ciertas disposiciones gubernamentales.

"TODITITITOS" ESTÁN QUE CHINGAN
Lugar donde todos están ansiosos por hacer algo.

"TODITITITOS" SE CHINGAN A TRABAJAR
Lugar donde todos trabajan con empeño.

"TODITITITOS" SE CHINGARON

Lugar donde todos fueron perjudicados o también donde todos se murieron por alguna causa.

"TODITITITOS" SE VAN A IR A LA CHINGADA

Decisión tomada por los de un pueblo de separarse del lugar.

TUVE UN SUEÑO DE LA CHINGADA

Persona que tuvo un sueño muy feo.

UNA AGUA DE LA CHINGADA
Agua muy mala, que pide mucho para ser potable.

UN AGUAL DE LA CHINGADA
Lluvia pertinaz y charcos por todas partes.

UNA CHINGADA...
Expresión que significa negativa a una orden.

UNA CHINGADA TE DEJO ENTRAR...
Impidiendo el paso sin boleto o pase.

UNA CHINGADA TE DEJO IR...
Negativa a dejar salir a una persona, un reo, etc.

UNA CHINGADA TE DIGO...
Negativa a decir algo que a otro interese.

UNA CHINGADA TE DOY...
Negativa de dar una cosa.

UNA CHINGADA TE PAGO...
Rotunda negativa a pagar.

UNA CHINGADA TE PRESTO...
Negativa a prestar el dinero que se le solicita.

UNA MUERTE DE LA CHINGADA
Muerte que fue un drama. Muerte en un choque, en

la caída de un avión en que los restos quedaron es-
parcidos, etc., etc.

UNA NOCHE DE LA CHINGADA
Noche de angustias.

UNA RETAGILA DE LA CHINGADA
Una cola de gentes o de animales.

UN CALOR DE LA CHINGADA
Calor agobiante.

UN CAMINO DE LA CHINGADA
Muy mal camino.

UN FRÍO DE LA CHINGADA
Frío muy agudo.

UNGÜENTO CHINGÓN
Medicina muy buena.

**UN "JIJO" DE LA CHINGADA RESULTÓ
EL CHINGADO ESE**
Persona que aparentaba ser buena y resultó un mal-
vado.

UN MARGAYATE DE LA CHINGADA
Alboroto en una plaza o centro de reunión en el
que impera el desorden.

UN TRABAJO DE LA CHINGADA
Mucho trabajo.

UN VALOR DE LA CHINGADA
Persona que arrostró una situación con entereza.

UN VIAJE DE LA CHINGADA
Viaje donde todo fue accidentes y molestias.

URGE COMO LA CHINGADA
Algo muy urgente, necesario, indispensable, pero
inmediato.

USADO COMO LA CHINGADA

Algo que parecía casi nuevo pero que está más usado que el excusado en una cárcel.

VACA CHINGONA

Vaca que da mucha leche. Que vale mucho dinero.

VALE SETENTA CHINGADAS

Es como decir que un objeto no vale nada en lo absoluto.

VALE SIETE CHINGADAS

Estimar un objeto en muy poco valor.

VALE TRES CHINGADAS

Confirmar más el poco valor de algún objeto o negocio.

VALE UNA CHINGADA

Estimación que da poco valor a un objeto o negocio.

VALIDO DE LA CHINGADA

Persona que se da a valer por las influencias que tiene.

VALIENTE COMO LA CHINGADA

Persona que no se asusta ante cualquier circunstancia.

¡VALIENTE CHINGADERA!

Expresión de una persona al tener en sus manos algo que se le ha ponderado, o algo que creía mejor y estima de poco valor.

VALIÓ PURA CHINGADA

Se dice cuando un esfuerzo, un trabajo, una fiesta,
etc., no respondió como se esperaba.

VÁMONOS A LA CHINGADA

Expresión muy común entre amigos cuando se abu-
rren en un lugar o cuando en una reunión no se
ponen de acuerdo.

¡VAYA A LA CHINGADA!

Expresión que se acostumbra decir cuando un tercero interviene entre dos personas disgustadas y una
de las partes no quiere llegar a un arreglo.

VECINO DE LA CHINGADA

Un vecino indeseable.

VENENO DE LA CHINGADA

Veneno de acción inmediata.

VEJEZ CHINGONA

Vejez disfrutada apaciblemente con el querer familiar.

VEJEZ DE LA CHINGADA

La que sufre una persona de edad de la que no se
ocupan sus familiares y más bien vive con la ayuda
de sus amigos.

VETE A LA CHINGADA

Orden terminante que se da a una persona para que
abandone el lugar que ocupa. También se dice cuando una persona propone a otra algo que no le conviene.

**VETE A LA CHINGADA
CON TUS CHINGADERAS**

Indicar a una persona que se vaya a otra parte con
sus proposiciones o con sus chismes.

VIDA CHINGONA
Una vida placentera.

VIDA DE LA CHINGADA
Vida de miseria, de privaciones, de problemas, de zozobras.

VINO A LO "JIJO" DE LA CHINGADA
Vino en abundancia en una fiesta o banquete.

VINO CON PURAS CHINGADERAS
Persona que fue a un lugar con chismes o cosas de poca importancia.

VINO CHINGÓN
Un vino de excelente calidad.

VINO PURA CHINGADA
No llegó la persona que se esperaba.

VISITA CHINGONA
Cuando se recibe la visita de un alto funcionario o de persona muy principal.

VISTA CHINGONA
Magnífico panorama. También puede interpretarse de la buena vista de una persona.

VISTA DE LA CHINGADA
La que una casa tiene a un patio. También cuando una persona casi no ve.

VIVE DE PURA CHINGADERA
Vive de milagro.

VIVE DE PURAS CHINGADERAS
Vive de hacer trampas o vendiendo chucherías.

"VIVO" COMO LA CHINGADA
Individuo muy listo y activo.

XICOTÉNCALT ERA UN CHINGÓN
Xicoténcalt era un hombre de visión, inteligente.

XOCHIMILCO ES COMO LA CHINGADA DE BONITO
Xochimilco es un lugar hermoso y bonito.

XÓCHITL INVENTÓ "EL CHÍNGUERE"
Xótchitl inventó el vino del Anáhuac: el pulque.

YA CHINGUÉ

    Se dice cuando una persona obtuvo algo que ansiaba.

YA DÉJATE DE CHINGADERAS

    Indicaciones a una persona para que no siga insistiendo.

YA LA CHINGASTE

    Se dice:

    —Cuando una persona "metió la pata".

    —Cuando una persona hace las cosas al revés.

    —Cuando por arreglar una cosa la rompe, etc. etc.

YA ME CHINGASTE

    Se dice cuando un jugador se da cuenta de que ha perdido.

YA ME VOY A LA CHINGADA

    Frase que se dice entre amigos al despedirse.

YA NO ME VENGAS CON CHINGADERAS

    Indicaciones a una persona para que no vuelva con sus proposiciones, o con chismes de barrio.

YA "P'A" QUÉ CHINGADOS LO COMPRO

    Se dice cuando la necesidad de un objeto fue suplida con otra cosa.

YA "P'A" QUÉ CHINGADOS LO HAGO

Se dice cuando ya no tiene caso hacer un trabajo.

YA "P'A" QUÉ CHINGADOS LO VENDO

Se dice cuando la urgencia de dinero pasó.

YA "P'A" QUÉ CHINGADOS VOY

Se dice cuando ya no tiene caso hacer un viaje.

YA PARA DE ESTAR CHINGANDO

Indicaciones a una persona para que no siga molestando.

YA TE CHINGASTE

Se dice:
—Cuando una persona contrae matrimonio.
—Cuando una persona hace un trato con otra que no va a salir bien; que la va a perjudicar.

YA TE VOY HACER TUS CHINGADERAS

Información a una persona de que ya se va a ocupar de hacer el trabajo que le había encomendado.

YA VAN A EMPEZAR CON CHINGADERAS

Se dice al advertir que un grupo empieza con sus bromas.

YA VETE A LA CHINGADA

Súplica que se hace a un borracho que está molestando.

YEGUA CHINGONA

Una buena yegua.

YERNO CHINGÓN

Comentario que hace un suegro, cuando su yerno es una excelente persona.

YO COMO TÚ HACÍA PURA CHINGADA

Consejo que se da a una persona cuando le hacen trabajar en lo que no está obligada.

YO COMO TÚ LE PAGABA PURA CHINGADA

Indicación a una persona para que no pague.

YO COMO TÚ LO CHINGABA

Indicación de que perjudique a otro.

YO COMO TÚ LO MANDABA A LA CHINGADA

Consejo a un amigo cuando se sabe que una persona trata de sacarle dinero por chantaje.

YO COMO TÚ ME IBA A LA CHINGADA

- Consejo al saber que su amigo corre peligro de que lo capturen por alguna causa.

YO COMO TÚ ME IBA A LA PURA CHINGADA

Consejo que se da a un amigo cuando no hay motivo para que abandone un lugar.

YO NO ME METO EN CHINGADERAS

Persona que se rehusa a aceptar algo que le proponen.

¿YO "P'A" QUÉ CHINGADOS LO QUIERO?

Negativa a comprar algo que le ofrecen.

¿YO "P'A" QUÉ CHINGADOS VOY?

Pregunta que se hace cuando le insinuan ir a alguna parte que no tiene ningún atractivo para él.

¿YO POR QUÉ CHINGADOS LO VOY HACER?

Negativa de hacer algo que le indican y no le importa.

¿YO POR QUÉ CHINGADOS TENGO QUE IR?

Cuando casi le obligan a asistir a una fiesta y no tiene ganas de ir.

También se hace esta pregunta, cuando lo llama la autoridad y no tiene motivo alguno esa llamada.

¿YO QUÉ CHINGADOS TENGO QUE HACER?
Pregunta cuando se le invita a organizar un festival.

¿YO QUÉ CHINGADOS TENGO QUE VER?
Pregunta cuando no se tiene relación alguna con lo
le están tratando.

ZACATE CHINGÓN

Pasto que es muy buen alimento para el ganado vacuno.

ZAMBUTIDA HASTA LA CHINGADA

Cuando un objeto ha quedado sumergido en el agua.

ZANCADA DE LA CHINGADA

El paso de ganso de las tropas de Hitler. Es también dar un paso de mucho menos alcance, necesario para saltar una zanja.

ZANCONA COMO LA CHINGADA

La mujer que es más alta que un poste de luz.

Se dice también cuando una mujer viste muy corto.

Asimismo cuando alguna cosa queda más alta que otra.

ZANJA CHINGONA

Es una zanja muy ancha y profunda.

ZANJA DE LA CHINGADA

Se dice cuando al pasar una zanja nos tropezamos y caímos en ella.

ZAPATAZO DE LA CHINGADA

Cuando una persona al no tener otra cosa, da un golpe a otra con el zapato.

ZAPATOS CHINGONES

Par de zapatos de muy buena calidad.

ZAPATOS DE LA CHINGADA

Se dice con disgusto cuando nos aprietan o nos hacen callos, por lo corrientes.

ZAPATERO CHINGÓN

El zapatero que es una verdadero maestro para hacer zapatos.

ZARAGOZA SE CHINGÓ A LOS FRANCESES EN PUEBLA

El general Ignacio Zaragoza hizo morder el polvo a los franceses en Puebla.

ZARANDEADA DE LA CHINGADA

Movimiento muy fuerte que en ocasiones ocurre en el vuelo de un avión.

ZARAPE CHINGÓN

Una manta de viaje muy buena y amplia.

ZARAPE DE LA CHINGADA

Se dice cuando la manta está picada y vieja.

ZARPAZO DE LA CHINGADA

El que da un tigre, un gato malcriado u otro animal.

TALLERES DE B. COSTA-AMIC EDITOR
Terminóse el día 30 de julio de 1972
Edición de 2,000 ejemplares